l' ABC

du

Café

Alain Stella

Flammarion

LES QUESTIONS QUE L'ON SE POSE

Le café est l'une des boissons les plus consommées au monde et sans doute aussi l'une des plus universelles. Mais d'où vient-il ? Par qui fut-il inventé ? Quel goût pouvait avoir le café des origines ?

Apparemment, rien de plus facile à préparer qu'une tasse de café. Pourtant, d'un pays à l'autre, les traditions changent et les goûts varient. Comment le prépare-t-on ailleurs et quels sont les grands goûts traditionnels du café ?

Arabicas, robustas, mélanges et grand crus distillent des plaisirs uniques ou associés. Que choisir ? Et, lorsque le choix est fait, comment faut-il le déguster pour en apprécier toutes les subtilités ?

COMMENT L'ABC*daire* Y RÉPOND...

Le guide de l'abécédaire p. 6

Il permet de comprendre l'univers du café en regroupant les notices de l'abécédaire selon trois perspectives. Un code de couleurs indique le genre de chaque notice :

■ Le produit :	■ La pratique :	■ Le contexte :
les grands crus,	la préparation,	l'histoire,
la culture,	les saveurs,	la sociologie,
la fabrication	la dégustation.	l'économie.

À partir de la lecture de ces notices, et grâce aux renvois signalés par les astérisques, le lecteur voyage comme il lui plaît dans l'abécédaire.

L'abécédaire p. 29

Par ordre alphabétique, on trouvera dans ces notices tout ce qu'il faut savoir sur le café. L'information est complétée par les éclairages suivants :
- des commentaires détaillés sur les plus grands crus de café ;
- des encadrés qui précisent le contexte dans lequel s'inscrivent les différentes saveurs du café.

Le Café raconté p. 11

En tête de l'ouvrage, cette synthèse reprend l'articulation du guide de l'abécédaire en développant chacun de ses thèmes.

G U I D E

I. L'AVENTURE DU CAFÉ

A. Le café conquérant

Le café a sa préhistoire. Avant d'être une boisson, ses grains servaient à la confection d'une bouillie roborative très appréciée des paysans d'Éthiopie. Une fois civilisé, le café traversa la mer Rouge pour conquérir l'une après l'autre les terres de l'« Arabie heureuse » et nous être enfin livré tel que nous l'aimons toujours : bien noir, avec un délicieux parfum d'Orient…

- *Antilles*
- *Étymologie*
- *Invention*
- *La Roque (Jean de)*
- *Légende*
- *Persécutions*
- *Traités*

B. Du dos des chameaux aux cales des navires…

Le monde occidental s'étant entiché du café, il fallut bientôt plus que les longues caravanes de l'Orient pour subvenir à ses besoins. Les grandes compagnies maritimes du XVIIe siècle déployèrent des trésors de ruse et de diplomatie pour s'assurer le monopole de sa commercialisation. Aujourd'hui, les routes du café sont moins aventureuses que par le passé, mais le circuit commercial reste toujours aussi complexe.

- *Caravanes*
- *Compagnies maritimes*
- *Implantation*
- *Ports*
- *Route*

C. Les esclaves de l'or brun

Le commerce du café n'enrichit pas tout le monde. La production fut longtemps assurée par des planteurs peu encombrés par la morale et recourant largement à l'esclavage. De nos jours, ces pratiques ont disparu, et le marché tend à une redistribution plus juste des subsides tirés de cet or brun, consommé quotidiennement par deux habitants sur trois de la planète.

- *Consommation*
- *Cotation*
- *Esclavage*
- *Max Havelaar*
- *Plantations*
- *Production*
- *Torréfacteurs*

II. DE LA PLANTATION... À L'ÉTALAGE

A. Les tropiques du café

Le café, arabica ou robusta, est une plante tropicale. Mais d'un pays à l'autre, rien ne ressemble moins à une plantation de café qu'une autre plantation de café. La durée moyenne de vie d'un caféier est d'une quinzaine d'années, et il donne six à huit récoltes par an. Aussi, à chaque plantation répond une pépinière, objet de toutes les attentions. C'est une question de survie !

- *Arabica*
- *Biologique*
- *Caféier*
- *Culture*
- *Robusta*

B. La chaîne du savoir-faire

Le fruit du café, la « cerise », ne donne que deux petits grains, qui sont lavés ou séchés, triés, sélectionnés puis torréfiés. Toutes ces étapes leur confèrent une personnalité et président à leur qualité. La fabrication du café est assurée pour partie seulement sur les lieux mêmes de la production, de façon plus ou moins artisanale. La maîtrise des industriels ou le savoir-faire des brûleries de quartier décident du reste.

- *Brûlerie*
- *Décaféiné*
- *Dégustation*
- *Mélanges*
- *Sélection*
- *Torréfaction*
- *Traitement*
- *Triage*

C. Les grands crus

Certaines qualités exceptionnelles du café ne tolèrent pas le mélange, ce sont les grands crus : Blue Mountain, Hawaï Kona, Moka Sidamo... Nous les découvrons depuis quelques années seulement. Ce sont tous des arabicas et il faut les consommer purs. Leurs saveurs authentiques sont très recherchées des amateurs qui reconnaissent dans leurs subtiles différences et leurs défauts naturels le summum du raffinement en matière de dégustation.

- *Blue Mountain*
- *Brésil*
- *Caracoli*
- *Colombie*
- *Costa Rica*
- *Crus*
- *Hawaï Kona*
- *Kenya et Afrique de l'Est*
- *Moka*

III. LES GOÛTS ET LES COULEURS

A. La préparation

Préparer le café est un risque consenti tant ce breuvage nous est aujourd'hui indispensable et sa qualité relative à un savoir-faire très personnel. Il existe de nombreuses façons de préparer le café, et aussi de l'apprécier : décoction, infusion, percolation, pression… Mais sans une eau de qualité, un mélange sélectionné et une mouture adaptée, l'art du café n'est qu'une vilaine manie.

- *Cafetière*
- *Conseils*
- *Décoction*
- *Express*
- *Infusion*
- *Instantané*
- *Melitta*
- *Mouture*
- *Nomades*
- *Pression*

B. Les saveurs traditionnelles

Le café nous vient de l'Orient, il y a des siècles. Déjà riche de traditions, l'Occident lui en a forgé de nouvelles et a composé quelques spécialités des plus savoureuses. D'un pays à l'autre, le café en voit de toutes les couleurs et de toutes les saveurs. Du « petit noir » français au *ristretto* italien en passant l'irish coffee irlandais, il s'agit toujours de café : un plaisir déclinable à l'infini.

- *Anglo-saxon*
- *Arrosé*
- *Autrichien*
- *Chicorée*
- *Chocolat*
- *Crème*
- *Divination*
- *Éthiopien et yéménite*
- *Extraits et liqueurs*
- *Français*
- *Frappé*
- *Irish coffee*
- *Italien*
- *Lait*
- *Nordique*
- *Turc*

C. Chez soi ou… au café !

Qu'on le prépare chez soi ou qu'on le déguste debout devant le zinc, qu'on le lape avec gourmandise ou qu'on l'avale à la va-vite, qu'importe ! Il faut que le café soit bon et que sa chaude amertume apporte le réconfort désiré. Le café est un art de vivre populaire, un petit miracle répété quotidiennement, et parfois plusieurs fois par jour…

- *Café*
- *Caféine*
- *Coffee houses*
- *Garçon de café*
- *Insomnie*
- *Littérature*
- *Peinture*
- *Percolateur*
- *Santé*
- *Service à café*

LE CAFÉ RACONTÉ

On ne mesure pas toujours à quel point le café, apparu au XVᵉ siècle, a changé le monde. S'il est bu par des milliards d'hommes après avoir conquis la planète, s'il est devenu la deuxième boisson consommée après l'eau (ce que contestent les amateurs de thé), c'est qu'il nous a apporté d'extraordinaires bienfaits : des goûts et des parfums délicieux, certes, mais aussi ses vertus stimulantes pour le corps et l'esprit, et surtout un admirable facteur de convivialité : du Japon aux États-Unis en passant par le Moyen-Orient et l'Europe, le café réchauffe l'âme et rapproche les êtres. Parce qu'il demande une préparation, parce qu'après l'avoir versé il faut attendre quelques dizaines de secondes avant de le boire, il n'est pas de ces boissons de canettes qu'on peut avaler sans même y penser. Il réclame un peu d'attention et de temps. Un temps que partout au monde on aime partager. En famille au petit déjeuner, sous les tentes bédouines tout comme dans les couloirs des bureaux et naturellement dans les cafés, son univers est celui des rencontres, des échanges. Il est un messager.

I. L'aventure du café
A. Le café conquérant

Le café a sa préhistoire, dont nul ne peut discerner les étapes avec précision. Car avant même que naisse, à une date elle aussi mystérieuse, le breuvage tel que nous le connaissons, le fruit du caféier* était apprécié en bouillie et pour ses vertus médicinales par les paysans d'Éthiopie* où il croissait à l'état sauvage. C'est en Éthiopie aussi, probablement, que se produisit l'invention*, sans doute fortuite, de la torréfaction* des grains, et donc de notre café d'aujourd'hui. Longtemps, le café demeura confiné dans son berceau des plateaux abyssins. Puis, un beau jour, il traversa la mer Rouge, fut transplanté au Yémen où naquirent la culture* et les premières plantations*. Une fois encore, on ne sait quand s'effectua ce voyage. On admettait couramment jusqu'à ces dernières années qu'il s'était produit à la fin du XIVᵉ siècle, mais une découverte récente a repoussé l'événement de deux siècles au moins. Toujours est-il que la formidable expansion du café ne débuta qu'au XVᵉ siècle, à partir du Yémen, favorisée d'abord par la secte des soufis qui propagèrent le *qahwa* jusqu'à La Mecque et jusqu'au Caire, d'où il gagna tout le monde musulman. Les soufis utilisaient le café à des fins religieuses, pour soutenir leur attention lors de leur pratique liturgique. Cette pratique est à l'origine de la légende*, contée dans *Les Mille et Une Nuits*, de la découverte du café par un berger de l'« Arabie heureuse »…

Marchands de café au Yémen.

Arrivé en Europe vers le milieu du XVIIe siècle, le café connut, d'abord dans la meilleure société, un engouement que favorisait la mode des « turqueries ». Mais si des traités* louaient ses qualités et énuméraient ses nombreuses vertus médicinales, il contrariait souvent des intérêts politiques et économiques, et fut l'objet, tout comme en Islam d'ailleurs, de vaines persécutions*. Durant un siècle, sa consommation demeura un privilège. Puis, cultivé par les puissances coloniales aussi bien en Asie qu'aux Antilles*, enfin abondant et accessible à tous, il devint une boisson populaire… et remplaça la soupe au petit déjeuner.

B. Du dos des chameaux aux cales des navires

Depuis longtemps cultivé, pour des raisons climatiques, à des centaines voire des milliers de kilomètres des grands centres de consommation, le café a d'abord commencé par charger les chameaux des caravanes* qui, en association avec les boutres de la mer Rouge, le diffusaient du Yémen au Caire, à Alexandrie, à Istanbul et jusqu'en Inde. L'accès au Yémen par le tour de l'Afrique permit ensuite aux grandes compagnies* maritimes européennes, à partir du XVIIIe siècle, de s'approvisionner directement en grain. Les compagnies furent aussi à l'origine de nouvelles plantations coloniales, alors que les puissances européennes accéléraient l'implantation* de la caféiculture quasiment tout autour du monde entre les tropiques du

Cancer et du Capricorne. Entre-temps, le précieux grain faisait la fortune de quelques ports* – après celui de Moka*, premier grand port exportateur –, comme Marseille ou Amsterdam.

Devenu le deuxième produit des échanges internationaux après le pétrole, le café suit désormais les routes* sinueuses du négoce international, où s'activent de nombreux acteurs et intermédiaires. Transporté et négocié traditionnellement en sacs de soixante kilos, il voyage de plus en plus souvent en vrac et en conteneurs sur les grands cargos qui le portent à Hambourg ou à New York.

C. Les esclaves de l'or brun

L'économie du café n'a jamais été un modèle d'éthique, et les pratiques en vigueur dans ce secteur ont souvent jeté une ombre déplaisante sur la porcelaine blanche des tasses. Ce fut hier le recours systématique, par les grandes puissances coloniales, au travail forcé des esclaves* pour défricher de nouvelles terres et exploiter de vastes plantations, le plus souvent dans des conditions abominables. C'est, aujourd'hui, l'extrême précarité d'un grand nombre de petits exploi-

Raphaël Robin-Noiret, *La Cueillette du café*. H/ivoire. Paris, musée des Arts africains et océaniens.

tants dans les pays producteurs* (pays pauvres, pour la plupart), soumis à la fluctuation des cours d'un produit de spéculation, à une surabondance d'intermédiaires et à la dure loi de l'offre et de la demande : trop souvent, la culture du café, pénible et aléatoire, n'est pas justement rétribuée. Dans les pays consommateurs* (riches, en général), des associations telles que Max* Havelaar œuvrent à une prise de conscience de ce phénomène, et tentent de le corriger dans la mesure de leurs moyens.

L'enjeu est énorme, à la mesure d'un marché planétaire en constante expansion : soixante-dix pays environ produisent les 100 millions de sacs de café (soit un peu plus de 6 millions de tonnes) aujourd'hui consommés sur la planète par deux habitants sur trois. Une part notable de ce café est achetée, torréfiée, ensachée et commercialisée par les grands torréfacteurs* industriels appartenant aux multinationales de l'alimentation.

II. De la plantation... à l'étalage
A. Les tropiques du café

Au long d'une large bande tropicale ceinturant la planète, les sites du café sont aussi variés que les cafés eux-mêmes. Il n'y a rien de commun entre l'immensité des plantations brésiliennes aux milliers d'hectares gagnés sur la forêt vierge, les minuscules cultures en terrasses des montagnes du Yémen, les escarpements abrupts où déva-

Plantation de café au Brésil.

lent des flots de caféiers dans la cordillère des Andes. Les paysages ne sont pas les mêmes qui naissent de la cendre des volcans d'Hawaï ou de la terre rouge du Brésil*.

Déjà, les caractéristiques des deux grands types de caféiers cultivés, l'arabica* et le robusta* (appartenant tous deux à l'espèce *Coffea*), ont modelé deux types de caféiculture bien distincts : fragile et vulnérable, l'arabica ne s'épanouit qu'à une altitude (au moins 800 mètres) où grandes superficies très rentables et mécanisation sont rares. Sa fragilité même, qui nécessite souvent l'usage de pesticides et d'insecticides, induit en outre des frais d'exploitation supplémentaires – même si désormais des techniques « propres » apparaissent, pour répondre à la demande de cafés biologiques*. À l'inverse, le robusta, qui ne craint pas grand-chose et pousse souvent en plaine, permet une culture *a priori* plus rentable et mécanisée.

La culture du café commence par la naissance des plants en pépinière. Après transplantation, les caféiers donneront des fruits trois ou quatre ans plus tard, durant une quinzaine d'années. L'arbuste fleurissant et fructifiant après chaque pluie, la périodicité et le nombre de récoltes varient selon les climats. Six à huit récoltes sont souvent nécessaires chaque année. Dans les meilleures plantations, on ne cueille (à la main) que les fruits mûrs. Dans les autres, celles des arabicas bas de gamme et des robustas, on récolte tous les fruits, parfois à l'aide de machines.

Page suivante : Triage des « cerises » en Indonésie.

B. La chaîne du savoir-faire

Commence alors le traitement* qui permettra de dégager les deux précieux grains que chaque fruit – chaque « cerise » – contient. À cette étape, dans de nombreux pays, les petits exploitants s'en remettent à des coopératives : le travail demande en effet une certaine technicité et des moyens en matériel. L'une des deux grandes méthodes utilisées – la « voie humide » – exige de nombreux lavages et triages*. Fréquente dans les régions bien pourvues en eau, elle consiste en une fermentation du fruit, suivie d'un dépulpage, d'un séchage et d'un décorticage. Elle donne les excellents « cafés lavés » dont la Colombie* est le premier producteur mondial. L'autre méthode, la « voie sèche », plus rudimentaire, convient mieux aux régions plus arides et moins favorisées : il s'agit ici tout simplement de faire sécher les cerises, puis de les décortiquer à l'aide de machines simples. Les « cafés nature » qu'elle produit sont de qualité moins régulière.

Après avoir reçu, selon sa qualité, une appellation et un grade, qui permettent aux négociants internationaux d'effectuer leur sélection* et de passer leur commande, le « grain vert » est expédié dans les pays consommateurs pour subir sa transformation. Sa torréfaction, dans les grandes installations industrielles ou dans les brûleries* artisanales, en constitue l'étape principale : cette cuisson, variant d'intensité selon les habitudes nationales de consommation, lui permettra de dégager arôme et saveur. Certains seront décaféinés*, et la plupart feront l'objet d'une dégustation*, préalable à la mise au point des mélanges*. Afin d'assurer une qualité constante au produit malgré les aléas des récoltes, la grande majorité des cafés vendus, en effet, sont des mélanges de grains d'origines diverses.

C. Les grands crus

Les meilleurs arabicas, eux, ne sont pas toujours mélangés, surtout s'il s'agit de grands crus*. Qui oserait ainsi dénaturer le « caviar du café », ce Blue* Mountain qui croît à la Jamaïque et dont les qualités indéniables – une délicate saveur acidulée et chocolatée – ne justifient pas toujours le prix exorbitant ? Depuis une vingtaine d'années, et grâce à la passion de quelques bons artisans torréfacteurs, les amateurs du monde entier peuvent goûter, à des prix souvent plus raisonnables, ces quelques rares grands crus qui séduisent par leur personnalité : Brésil Sul de Minas, Supremo de Colombie, Tarrazu du Costa* Rica, Hawaï* Kona, Kenya* AA, Moka Sidamo et quelques autres enchantent déjà par leurs noms qui font rêver. Mais c'est au

La maison Allois Dallmayr, à Munich.

palais qu'ils s'expriment par-dessus tout. À condition d'être bien torréfié, un grand cru délivre dans la tasse un goût authentique que ne peut procurer un mélange, celui du fruit même, avec toute son identité de végétal né sur une terre particulière, arrosé par des pluies fraîches ou tièdes, mûri par un soleil brutal ou caressant. Aucun de ces crus ne ressemble tout à fait à un autre, et il faudra parfois leur pardonner leurs particularités : certains sembleront acides, d'autres se signaleront par un petit goût de brûlé, d'autres encore évoqueront la terre ou la mousse. Et, tout comme un vin, leur qualité variera selon les récoltes, selon les années. C'est pour cela même que le passionné les aime.

Ce dernier recherche également le comble du bonheur, une bizarrerie botanique dotée du joli nom de caracoli*. Grain unique dans le fruit (alors qu'un fruit normal en comporte deux), il concentre toute sa saveur… Repérés lors des triages, les caracolis sont vendus séparément.

III. Les goûts et les couleurs
A. La préparation

Dans les premières pages d'*Une mémoire pour l'oubli*, qui sont parmi les plus belles jamais écrites sur le café, le poète palestinien Mahmoud Darwich nous prévient : « Il n'existe rien qu'on puisse appeler "le goût du café" ; ce n'est pas un concept, une matière quelconque, une chose en soi. Chacun a son propre café, à tel point que je peux juger d'un homme, pressentir son élégance intérieure, à l'aune du café qu'il m'offre. »

Si le café peut ainsi constituer une sorte de langage, c'est que sa préparation exige une certaine familiarité avec des instruments plus ou moins complexes et de nombreux dosages, parfois subtils. Telle est la noblesse de notre café quotidien. Il existe une dizaine de techniques différentes, mais qui procèdent seulement de quelques grands principes : la décoction* qui consiste à bouillir le café, l'infusion*, la percolation* qui est le principe du café-filtre et la percolation sous pression*, dans le cas de l'express* par exemple. Chacun offre des cafés différents. Chacun peut offrir des cafés délicieux.

Mais, avant tout, pas de bon café sans une bonne eau à la bonne température, sans un café fraîchement moulu et – on y pense peu mais c'est là le plus important – sans une mouture* adaptée à sa cafetière*. Dans les cuisines d'aujourd'hui, on est bien loin du rituel complexe que l'on peut encore observer chez les nomades* bédouins. De plus en plus pressés, les consommateurs recherchent la simplicité et l'automatisme : cafés instantanés*, cafés dégouttant du filtre en papier qu'inventa la géniale Melitta* Bentz, cafés mousseux que distribuent en quelques secondes les petites machines à express ont depuis longtemps remplacé les breuvages longuement mitonnés dans les cafetières de nos grands-mères.

Pages suivantes : percolateur à la Maison du Café, avenue de l'Opéra, 1937.

La Victoria Arduino per caffè espresso. Affiche de Cappiello, 1922.

De haut en bas et de gauche à droite : percolateur, cafetière italienne, cafetière à piston, cafetière de style « Cona » et une machine à express.

B. Les saveurs traditionnelles

En plus de la variété de ses préparations, le café offre la riche diversité de ses traditions gourmandes. Entre la sublime friandise concentrée qu'est le *ristretto* italien* et le léger breuvage nordique* qu'un soupçon de bon arabica peut à peine noircir, l'univers des cafés semble infini. C'est, en Italie, l'extraordinaire qualité des différents express et les saveurs de quelques spécialités, telles le *cappuccino* – équivalent de notre café-crème* avec un peu de chocolat*, ou le café frappé* qu'on appelle ici *granita di caffè*. C'est, à Vienne où se sont rencontrées les traditions italienne et ottomane, l'exceptionnelle palette – du presque blanc au presque noir – des cafés au lait* autrichiens*, et ce café à la crème fouettée que nous appelons « café viennois ». C'est, dans la plupart des pays arabes, à Istanbul et dans tous les pays qui eurent à connaître la domination ottomane, la tradition du café turc* : seul café servi avec son marc – ce qui permet cette belle divination* qu'on appelle café-domancie –, il est savouré lentement, comme le temps qui passe…

D'autres pays ont eu moins de chance, et ont souffert de handicaps historiques qui les ont longtemps tenus éloignés du bon café : en Grande-Bretagne la domination du thé importé de l'empire des Indes, aux États-Unis l'invasion du café instantané, en France l'usage de la chicorée* et des âpres robustas des colonies africaines ont forgé de mauvaises habitudes. Mais Anglo*-Saxons et Français* rattrapent aujourd'hui le temps perdu et sont chaque jour plus nombreux à découvrir avec passion les saveurs des bons arabicas bien préparés. Chez eux se concoctent aussi quelques délicieuses spécialités, en particulier des cafés arrosés*, que ce soit l'*irish* coffee* en Irlande, le café brûlot à la Nouvelle-Orléans ou les cafés au calvados en Normandie…

Partout au monde, les amateurs de café aiment aussi retrouver son goût dans des entremets – que cuisiniers, pâtissiers et glaciers parfument à l'aide d'extraits* naturels – et dans des cocktails aromatisés grâce à des liqueurs. Enfin, quelle que soit la manière dont ils le

dégustent, les adeptes du café devraient toujours avoir une pensée émue pour son berceau éthiopien et yéménite : dans ces pays magnifiques, où l'on torréfie chez soi de divins Mokas, on aime encore l'ancêtre du café, une décoction du fruit légèrement grillé... mais sans les grains !

C. Chez soi ou... au café !

Le café est une boisson conviviale, qu'on aime boire en famille, entre collègues et entre amis. Il est à cet égard significatif que les premiers cafés* aient ouvert leurs portes en Europe une vingtaine d'années seulement après l'apparition du grain. Les premiers établissements à le servir furent naturellement les « maisons de café » d'Orient, nées au XVIe siècle dans les grandes villes arabes et turques. Outre le nec-

tar préparé à la turque et des compagnons toujours prêts à converser, on y trouvait des musiciens, des jeux de société et de la lecture. Un siècle plus tard, ce furent très souvent d'anciens sujets de l'Empire ottoman – Arméniens, Syriens, Grecs – qui lancèrent la mode des cafés en Europe.

Ce fut le cas en Angleterre, où le premier café fut créé à Oxford par un Juif libanais, et le deuxième à Londres par un Grec. Les *coffee* *houses* allaient ici se multiplier avec une rapidité et une intensité rares, faisant de Londres, pour moins d'un siècle seulement, la reine européenne du café.

Devenus bientôt, dans toutes les grandes villes d'Europe, une incontournable institution sociale, les cafés allaient jouer un rôle politique et culturel de premier plan jusqu'au milieu du XXe siècle. Fréquentés par les artistes, alliant pittoresque – avec leurs garçons* de café, leurs terrasses, leurs beaux percolateurs – et sociabilité, on les retrouva fréquemment immortalisés dans la peinture* et la littérature*.

Aujourd'hui, il existe en France quelque soixante-dix mille cafés, fréquentés chaque jour par près de cinq millions de personnes ; habi-

tude durement concurrencée par la restauration rapide à l'américaine et par la tendance au repli chez soi. Certains aiment reconstituer à la maison un peu du décor des cafés, en achetant chez les antiquaires et les brocanteurs spécialisés meubles et services* de bistrots. Et c'est désormais chez eux, en sirotant leur véritable petit express, qu'ils peuvent discuter des effets de la caféine* sur la santé* et de ses rapports variables avec l'insomnie*…

Alain STELLA

ANGLO-SAXON :
Le café contre le thé

À la fin du XVIIe siècle, grâce à l'énorme succès des *coffee* houses*, l'Angleterre était le pays d'Europe où l'on consommait le plus de café. Un siècle plus tard, on n'y buvait plus que du thé… Si rien n'empêche de déguster aujourd'hui du bon café en Grande-Bretagne, où il existe d'excellentes brûleries*, une grande majorité de Britanniques consomme toujours du café instantané*. Outre-Atlantique, les colons du Nouveau Monde connaissaient le café au moins depuis 1668, date à laquelle la présence du breuvage, servi sucré et aromatisé à la cannelle, est attestée à New York. Le café, signe d'indépendance face au thé symbole de la domination anglaise, allait très vite devenir la première boisson américaine. Dans les années 1920, la prohibition de l'alcool fit encore augmenter sa consommation*. Mais apparaissait aussi dans les cuisines américaines le café instantané, si pratique qu'il allait conquérir en peu de temps des millions d'Américains.

Il faut en convenir, entre un médiocre instantané et un insipide robusta* hypercaféiné, boire une bonne tasse de café aux États-Unis dans les années 1960 tenait du miracle. Mais, dans les années 1980, la chaîne d'*espresso bars* de Seattle, Starbucks, lança la mode de l'*espresso* et du *cappuccino**, créant un engouement pour le bon café qui n'a pas cessé depuis. Apparu sur la côte ouest, le café aromatisé à l'aide de divers sirops (vanille, noisette, caramel, chocolat*, menthe…) a gagné tout le pays où il connaît un succès grandissant. Son principal mérite est de faire connaître l'univers du café aux jeunes plus habitués aux sodas. Plus classique et savoureux, bienfaisant dès les beaux jours, l'*iced coffee*, le café frappé*, est proposé partout.

Walter Pidgeon, Greer Carson et Donna Corcoran sur un tournage.

Le Masurier, *Mulâtre avec fillette blanche visitant des Noirs dans leur case à la Martinique* (détail), 1775. H/t. Paris, ministère des DOM-TOM.

Portrait du chevalier Gabriel de Clieu, v. 1750.

■ Antilles

C'est aux Antilles que la France allait durablement faire prospérer le café, et concurrencer le moka*. En 1720, le chevalier dieppois Gabriel de Clieu, capitaine d'infanterie installé à la Martinique, obtint l'autorisation d'emporter dans son île deux pieds de café, issus d'un arbuste offert quelques années plus tôt par le maire d'Amsterdam au roi de France.

Malgré quelques aventures, une tempête, et un terrible manque d'eau, le noble capitaine parvint à sauver l'un des plants. Le café s'acclimata parfaitement dans la colonie. En 1730, soit dix ans après l'aventure de Gabriel de Clieu, des colons martiniquais exportèrent pour la première fois du café. Sept ans plus tard, la métropole en recevait 7 000 tonnes. Les plantations* s'étendirent ensuite à la Guadeloupe et à Saint-Domingue, puis à la Dominique. Saint-Domingue devint le premier producteur mondial de café (avec 40 000 tonnes annuelles avant 1790).

L'administration coloniale française n'hésita pas, à partir de 1730, à y acheminer d'Afrique trente mille esclaves* par an. Cinq cent mille y travaillaient lorsque, en 1791, éclata la révolte conduite par un affranchi, Toussaint-Louverture. Les rebelles incendièrent de nombreuses plantations et prirent peu à peu le contrôle de l'île, qui en 1804 devint le premier État noir indépendant. La France perdait ainsi définitivement son rang de premier producteur* mondial de café.

■ ARABICA
Les arômes les plus subtils

On appelle « arabica » le fruit du *Coffea arabica*, l'une des deux grandes espèces de caféiers*. Originaire d'Éthiopie*, il produit aujourd'hui 75 % du café mondial. À l'inverse du *Coffea canephora*, qui donne le robusta*, l'arabica est une plante fragile, ne croissant qu'en altitude. Cette caractéristique fait aussi sa supériorité qualitative : plus l'altitude est élevée, plus les fruits mûrissent lentement, plus le breuvage est riche en composés aromatiques. Le frêle arbuste s'épanouit dans l'air pur des cimes, entre 800 et 2 000 mètres d'altitude. Plus bas, il risquerait de souffrir de la chaleur, plus haut du gel. À ces altitudes, seules les régions équatoriales lui offrent ce qu'il exige encore : des températures moyennes entre 20 et 25 °C, des pluies régulières mais point trop d'humidité, un ensoleillement suffisant mais de faible intensité, un sol profond et fertile, de préférence volcanique.

Tous les grands crus* sont des arabicas, provenant surtout d'Afrique de l'Est et d'Amérique latine. D'une teneur bien moins élevée en caféine* que les robustas, ils procurent des plaisirs aromatiques subtils, variant selon les terroirs et leur mode de fabrication : certains sont épicés, d'autres acidulés, d'autres encore plutôt doux, etc.

Seul café jusqu'à la découverte du robusta au XIXe siècle, l'arabica fut peu à peu supplanté par ce dernier dans certains pays. Les Français*, par exemple, après s'être habitués aux robustas de leurs colonies africaines – consommés purs ou mélangés* avec des arabicas –, ne dégustent à nouveau du 100 % arabicas que depuis la fin des années 1970.

■ Arrosé

L'ajout d'alcool dans le café est une vieille tradition. Les Normands ont compris à quel point calvados et café s'exaltent mutuellement avec bonheur. Depuis toujours, ils versent un peu de cette eau-de-vie de cidre dans une tasse encore chaude où reste un fond de café noir. Les Italiens* connaissent aussi ce vif plaisir du café arrosé qu'ils appellent le *caffè corretto* : on y met soit de la *grappa* – une succulente eau-de-vie de marc de raisin –, soit du cognac. Il rappelle alors en tout point le « cordial » au marc de Bourgogne qu'on boit en France, surtout en hiver pour se réchauffer.

Le spectaculaire « café brûlot » est un grand classique de La Nouvelle-Orléans. La recette consiste à faire flamber dans un récipient un peu de cognac et de curaçao aromatisés d'épices et d'agrumes, puis à verser le café noir sur le liquide en flammes... Le café « impérial », quant à lui, appelé *Kaisermelange* à Vienne où il est né et où il est servi dans les meilleurs cafés*, demande de battre un

Le Sauvignon, rue
des Saints-Pères.

jaune d'œuf avec un petit verre de cognac et une cuillère à soupe de sucre en poudre ; on verse le café chaud sur ce mélange puis, éventuellement, du lait* chaud à volonté. Mais le plus célèbre des cafés arrosés est irlandais : c'est l'irish* coffee au whiskey et à la crème* fraîche.

Café au lait au *vino santo* et aux *uvetti*, raisins secs marinés dans la *grappa*.

◼ AUTRICHIEN : LA VALSE DES CAFÉS

Un ambassadeur du sultan Mehmet IV lança la mode du café à Vienne en 1665. Moins de vingt ans plus tard, c'est après avoir récupéré cinq cents sacs de grains de cafés abandonnés par les Turcs qui venaient vainement d'assiéger la ville, qu'un certain Franz Georg Kolschitzky, d'après la légende, créa le premier café* de Vienne. Jamais aucune ville du monde ne fit par la suite de cet établissement qu'on nomme « café » une institution plus essentielle à la vie sociale. Elle en comptait plus de six cents au temps de sa splendeur, avant la Première Guerre mondiale. Les Autrichiens, qui consomment presque deux fois plus de café que les Italiens*, peuvent choisir dans les meilleurs établissements du pays le simple café noir, qu'on nomme tout aussi simplement *Schwarz* (« noir ») ou plus joliment *Moka**. Il doit être servi sur un plateau d'argent accompagné d'un verre d'eau. Le *Moka* peut également être un express* et être appelé *Espresso*. Les Autrichiens ont aussi une passion pour les cafés au lait* : le *Melange*, où café et lait s'allient à parts égales ; le *Kapuziner*, qui reçoit en plus une goutte de crème* ; le *Verkehrt*, dont la blancheur est à peine altérée par un soupçon d'arabica*, et son contraire, le *Brauner*, un sombre nectar adouci d'un nuage laiteux ; et enfin le *Schale Gold*, un mélange* joliment doré… Autres grandes spécialités viennoises, les cafés agrémentés de crème fouettée : l'*Einspänner*, que nous appelons en France « café viennois », est un café noir servi dans un verre et couronné de crème fouettée ; l'*Eiskaffee* est un café noir et froid, versé sur deux boules de glace à la vanille, le tout nappé de crème, soit l'équivalent de ce que nous appelons « café liégeois ».

« *Dans la vieille Autriche* […], *il est vrai qu'on s'injuriait dans les journaux ou au Parlement, mais après leurs tirades cicéroniennes, les adversaires se réunissaient amicalement autour d'une table, buvant de la bière ou du café.* »

Stefan Zweig, *Le Monde d'hier*, 1943.

Einspänner (cafés viennois) servis au café *Landtmann*, Vienne.

■ Biologique

Dans certains pays, pour des raisons économiques ou pour répondre à la demande croissante de cafés « biologiques », on laisse au ciel pur, aux vents et à la pluie le soin d'enrichir la terre et de protéger les arbustes. C'est le cas dans certaines caféières du Pérou, du Costa* Rica, d'Haïti. Plus l'altitude des plantations* est élevée, moins le recours à la chimie est nécessaire. Certains entomologistes ont eu une idée de génie : en 1988, dans la région mexicaine du Chiapas, a été lancée une expérience de remplacement des insecticides chimiques par de petites abeilles particulièrement friandes de scolytes, ces minuscules coléoptères qui endommagent les fruits du caféier*. L'expérience a été cou-ronnée de succès et s'est étendue depuis à quelques pays d'Amérique centrale et à grande échelle en Colombie*. De plus, dans le monde entier, il est d'usage de laisser au sol les feuilles mortes des caféiers pour enrichir l'humus. Au Kenya* comme en Colombie*, en Inde comme en Éthiopie*, la musique des petites plantations familiales mêle les voix des femmes et des enfants aux chants des oiseaux, aux murmures des torrents de montagne… et aux craquements des feuilles mortes quand on marche entre les caféiers.

Café viennois, v. 1910.

33

■ BLUE MOUNTAIN

Plantation de Blue Mountain en Jamaïque.

Parfois appelé le « caviar du café », le Blue Mountain de Jamaïque est l'un des crus* les plus chers du monde. À certains égards, il le mérite : le Blue Mountain est un des rares cafés complets, possédant à la fois une grande qualité d'arôme et de saveur, très doux, agréablement acidulé et chocolaté. Toutes les conditions étaient réunies pour donner ces qualités au café poussant dans les « Montagnes bleues » : à l'est de l'île tropicale caressée par des brises humides et tièdes, une chaîne culminant à plus de 2 200 mètres ; bien étagées sur le haut des versants de cette chaîne, des terrasses aménagées sur une terre très fertile, ombragées par des avocatiers et des bananiers, irriguées par l'eau pure des torrents, plantées d'arabicas* venus de Martinique au XVIIIe siècle.

Mais toutes ces conditions ne suffisaient pas pour que le Blue Mountain puisse être considéré par certains comme le meilleur café du monde, atteignant dès lors, étant donné sa faible quantité (quelques centaines de tonnes par an), un prix exorbitant. Pour cela, il a fallu une très habile politique commerciale et l'engouement des consommateurs japonais à partir de la fin des années 1960. Il a fallu surtout, sous l'égide d'un organisme officiel, le Coffee Industry Board, le soin extrême porté aux différents traitements* qui mènent du fruit tout juste récolté à l'emballage du grain vert. Un grain vert légèrement bleuté, transporté jusqu'aux pays consommateurs non pas dans de vulgaires sacs de jute, mais – détail luxueux utile à sa promotion – dans de beaux tonneaux de bois blanc. L'appellation « Blue Mountain » n'est accordée qu'aux cafés produits dans une région très circonscrite et de haute altitude (les paroisses de Portland, de Saint-Thomas et de Saint-Andrews). Il existe deux autres appellations, moins bonnes : High Mountain Suprem et Prime Washed Jamaïca. Attention aux fausses appellations contenant les mots « Blue » ou « Mountain », attribuées souvent à des cafés produits on ne sait où…

■ BRÉSIL

Avec en temps normal 20 millions de sacs de café (de 60 kg) par an, le Brésil est de loin le premier producteur* et le premier exportateur de café au monde. Ici, tout a commencé en 1727 : sous prétexte de régler un conflit frontalier, le gouverneur portugais de Pará (l'actuel Belém) envoya le fringant lieutenant Palheta en ambassade à Cayenne auprès du gouverneur français. En réalité, l'objet du voyage du jeune officier n'était pas ce différend territorial, mais la subtilisation de quelques grains de café, jalousement gardés par les autorités françaises. La légende veut que Palheta y parvint en séduisant la femme du gouverneur… Ces grains furent plantés à Pará dès son retour, donnant ainsi le premier café du Brésil.

Le pays devait fournir plus de 90 % du café mondial à l'aube du XXᵉ siècle. L'esclavage* fut naturellement l'un des facteurs de cette réussite, en même temps que la nature des sols et le climat. Pour créer les vastes plantations*, les *fazendas*, la tâche des défricheurs fut titanesque. Certains de ces *fazendeiros* pionniers ont marqué l'histoire du Brésil. Citons Martinico Prado, qui découvrit en 1877 la *terra rôxa* (terre violette), riche en basalte, très fertile et propice à la culture* du café, dans la région de Ribeirão Prêto. Sa fazenda Guatapara, située sur une terre de 15 000 hectares, comptait en 1912, date de sa mort, près de deux millions de pieds de café.

Le Brésil produit essentiellement de l'arabica*. Dans les plantations produisant des grains de qualité inférieure, la récolte est mécanisée. Les meilleurs crus* brésiliens, qui portent les noms des régions de Bahia, de Santos et surtout de Sul de Minas, sont des arabicas doux, équilibrés, aux arômes francs. Ajoutons pour l'anecdote que la région de Rio produit en abondance un café qui sort de l'ordinaire, le café « rioté », dur, amer, fortement iodé pour ne pas dire salé, qui est considéré par les connaisseurs comme le plus mauvais du monde. Mais certains l'adorent…

■ Brûlerie

On peut acheter un café préemballé dans une grande surface, mais rien ne vaut le plaisir du chaleureux arôme de café fraîchement moulu que vous offre une bonne brûlerie. Il en existe plusieurs centaines en France. On appelle « brûlerie » une boutique où le café, après avoir subi sur place sa torréfaction*, est vendu en vrac et au poids, en grains ou moulu sur mesure. La brûlerie offre ainsi une garantie de fraîcheur et une mouture* bien adaptée à la machine à café de chacun. Elle offre aussi le choix d'un grand nombre de crus* et de mélanges* « maison ». Devant cette abondance d'appellations souvent obscures, le néophyte y trouvera toujours l'aide et le conseil d'un véritable professionnel. On lui demandera s'il préfère le café corsé ou doux, s'il le boit plutôt le matin ou le soir. On lui proposera d'abord un mélange classique, puis, peu à peu, on l'initiera aux subtilités des crus. Dans de nombreuses maisons, il pourra aussi goûter. C'est ainsi que les brûleries jouent leur rôle d'initiation au bon café.

Certaines brûleries ont acquis une réputation qui dépasse parfois les frontières de leur pays : Verlet ou Faguais à Paris, Higgins à Londres, Peet's à Berkeley, Wijs & Zonen à Amsterdam sont de vénérables maisons parfois plus que centenaires qui maintiennent les traditions mais savent aussi innover. Leurs clients sont souvent des connaisseurs exigeants, qui discutent origines et degrés de torréfaction, ou commandent leurs propres mélanges sur mesure. Balzac, qui pouvait boire jusqu'à cinquante tasses de café par jour, était plus que passionné : maniaque. L'écrivain consacrait régulièrement une demi-journée à l'achat des trois cafés qu'il mélangeait lui-même : il achetait son Bourbon dans une brûlerie de la rue du Mont-Blanc (aujourd'hui rue de la Chaussée-d'Antin), son Martinique rue des Haudriettes et son Moka* rue de l'Université…

La brûlerie Wijs & Zonen, à Amsterdam.

■ Café

Les premiers établissements publics qu'on puisse véritablement appeler « cafés » ouvrirent dans les grandes villes de La Mecque, du Caire et d'Istanbul, dans le courant du XVIe siècle. Joie d'une convivialité à prix modique, brassage des milieux et échange d'idées, plaisir des jeux comme le trictrac ou les échecs, récitations de poèmes et occasions de rencontres socialement utiles, tout ce qui allait faire le succès des cafés dans une grande partie du monde se trouvait déjà dans

La terrasse du Café de Flore, boulevard Saint-Germain à Paris, 1949.

ces premiers établissements. Ouverts souvent par des Arméniens ou des Syriens, les cafés virent le jour en Europe à partir des années 1670, soit une vingtaine d'années après l'apparition de la boisson sur le continent. Le *Florian* à Venise, le *Procope* à Paris, le *Demel* à Vienne furent parmi les plus célèbres des premiers établissements européens où bourgeois, artistes et intellectuels se donnaient rendez-vous. Ils jouèrent souvent un rôle politique important, à l'image du *Café de Foy*, au Palais-Royal, d'où Camille Desmoulins, le 12 juillet 1789, exhorta une foule en colère à prendre les armes. Le XXᵉ siècle connut aussi ses cafés parisiens à la mode, qu'aimèrent les intellectuels et les artistes. Entre les deux guerres, c'est dans les cafés de Montparnasse – le *Dôme*, la *Rotonde*, la *Coupole* – que se

Le café *Florian*, piazza San Marco, à Venise.

retrouvaient Apollinaire, André Breton, Dos Passos, Hemingway, Picasso, Modigliani, Chagall… À Saint-Germain-des-Prés, après la Seconde Guerre mondiale, une faune noctambule et bohème menée par Juliette Gréco et Boris Vian, découvrant le jazz, la joie de vivre et accessoirement la philosophie existentialiste, commençait ses nuits au *Flore* ou aux *Deux-Magots*, que Jean-Paul Sartre et Simone de Beauvoir avaient élus depuis la guerre pour y écrire au chaud et s'y faire admirer.

■ Caféier

Il existe deux grands types cultivés de caféiers, appartenant à la famille des Rubiacées : une douzaine de variétés de l'espèce *Coffea arabica Linné* et quelques variétés – dont le robusta* – de l'espèce *Coffea canephora Pierre*. On regroupe communément ces deux grands types sous les appellations arabica* et robusta. Originaire d'Éthiopie*, le *Coffea arabica* est un arbuste à feuilles vertes et luisantes, pouvant atteindre une dizaine de mètres de haut. Il fleurit deux ou trois fois par an. De ses jolies fleurs éphémères, blanches et roses, émane un délicat parfum de jasmin. Ressemblant à des cerises (c'est ainsi que les professionnels les nomment), les fruits apparaissent huit mois environ après la floraison. Chaque « cerise » contient deux grains hémisphériques de couleur vert pâle traversés par un sillon longitudinal : après torréfaction*, ils deviendront les grains de café que nous connaissons. Deux variétés cultivées d'arabica sont parfois commercialisées sous leur nom : le maragogype, qui donne de très gros grains, et le bourbon,

COFFEA.

Branch of the Arabian, or Eastern Coffee-Tree.

Branche
de *Coffea arabica*.

qui fut introduit au Brésil* à partir de l'île de la Réunion.

Le *Coffea canephora Pierre*, qui donne le robusta, est un arbuste résistant bien aux insectes et aux maladies (d'où son nom). Il peut atteindre une quinzaine de mètres de hauteur. Ses « cerises » sont en général plus petites que celles de l'arabica. Originaire de l'Afrique de l'Ouest tropicale, il s'épanouit à basse altitude. Une autre variété de *canephora*, le *kouillou*, est cultivée à Madagascar.

■ Caféine

Les effets stimulants de la caféine – principal alcaloïde (1-3-7 triméthylxantine) présent dans le café – sont connus depuis longtemps. Elle n'est vraiment dangereuse pour la santé* qu'à très haute dose. Si pour une raison ou une autre vous estimez nécessaire de réduire votre consommation de caféine, sans pour cela vous priver de café, il existe quelques solutions avant de se résigner au décaféiné*. La première est de bannir les robustas*, qui contiennent deux fois plus de caféine que les arabicas* (en moyenne 2 % contre 1 %). La seconde est de privilégier l'express* : ce dernier est très légèrement moins caféiné que le café-filtre, car la faible quantité d'eau passant rapidement à travers la mouture dissout moins de caféine. L'idéal est même de consommer l'express « serré », le moins caféiné des cafés. Si un café serré vous semble trop épais et corsé, ajoutez un peu d'eau chaude dans la tasse. Et n'oubliez pas de privilégier les express composés seulement d'arabicas.

Cafetières
françaises
traditionnelles
en tôle émaillée.
Paris, coll. part.

■ Cafetière

Des bouilloires bédouines en cuivre aux très sophistiquées machines à express*, plusieurs siècles d'histoire ont vu naître des dizaines de modèles de cafetières. Après l'apparition de l'infusion* (que permet aujourd'hui la cafetière à piston), un progrès notable se produisit vers 1800 lorsqu'un certain Jean-Baptiste de Belloy inventa en France le premier percolateur*, la « cafetière à filtre ». Il s'agissait d'une cafetière composée de deux parties superposées, l'eau de la partie supérieure s'écoulant par gravité au travers de la mouture placée sur un filtre. La « De Belloy » connut un succès considérable et fut imitée partout dans le monde, avec quelques variantes. La cafetière traditionnelle française, conçue sur le même principe, était en porcelaine ou en tôle émaillée, souvent ornée de motifs polychromes. La cafetière napolitaine, inventée au XIXe siècle en France, connut au lendemain de la Seconde Guerre mondiale un grand succès à Naples, d'où son nom. Simple et ingénieuse, on la pose sur le feu – réservoir d'eau en bas, verseuse en haut – puis on la retourne lorsque l'eau est chaude. La gravité s'occupe du reste. La gravité est aussi le principe du simple « café filtre » (avec filtre en papier et porte-filtre) et de sa version technologique, la cafetière électrique.

Autre grand principe des cafetières, la pression* et ses multiples variantes : dépression provoquée dans la plus belle et la plus magique des cafetières, la « Cona » à deux globes de verre ;

pression de vapeur grâce à la cafetière italienne et son célèbre modèle « Moka Express » à facettes de la maison Bialetti ; haute pression créée par une pompe dans les machines à express, qu'elles soient professionnelles ou familiales.

■ **Cappuccino.** Voir Crème

■ CARACOLI
Un mystérieux concentré

Comme certains grands vins sont sublimés par des vendanges tardives, certains grands crus* de café voient leurs qualités redoublées par un mystère de la botanique : chaque fruit du caféier* contient en général deux fèves, mais il arrive parfois qu'il n'en contienne qu'une, qu'on nomme alors « caracoli ». On trouve ces grains très ronds (d'où leur nom, qui viendrait de l'espagnol *caracol*, escargot) le plus souvent à l'extrémité des branches. Anomalie botanique, insuffisance de pollinisation, défaut génétique ? On ne sait. Toujours est-il que les caracolis possèdent une qualité essentielle pour laquelle ils sont très recherchés par les connaisseurs : dans ces grains uniques au lieu d'être doubles, la saveur et l'arôme sont comme concentrés. Toutes les qualités d'un grand cru s'y trouvent exaltées. Ils étaient très appréciés et courants en Bretagne jusqu'au début de ce siècle, où les maîtresses de maison les torréfiaient* à la poêle au-dessus d'un feu d'ajoncs. Au Brésil* et en Colombie*, où ils sont censés posséder des vertus aphrodisiaques, ils font l'objet d'un véritable culte. Ils sont également prisés en Allemagne, où on les appelle les « cafés perle ».

Caravanes dans le désert du Sahara, 1689. Rotterdam, Musée maritime.

Caravanes

Jusqu'au XVIIIᵉ siècle, alors que la caféiculture n'existait pas encore hors de l'Éthiopie* et du Yémen, les négociants orientaux achetaient le précieux grain sur le grand marché de Bayt al-Faqih, l'un des principaux centres de production au Yémen, et l'embarquaient dans le port* voisin d'Hodeïdah. Le témoignage d'un négociant malouin au début du XVIIIᵉ siècle (relaté par Jean de La* Roque dans son *Voyage de l'Arabie heureuse* paru en 1716) rend compte précisément de la manière dont ce commerce était organisé : « C'est à Betelfaguy que se font les achats de café

Caravane turque dans un paysage. Peinture de Jan van Huchtenburg (1647-1733).

pour toute la Turquie ; les marchands d'Égypte & ceux de Turquie y viennent pour ce sujet, & en chargent une grande quantité sur des chameaux, qui en portent chacun deux bâles, pesant chacune environ deux cent soixante-dix livres, jusqu'à un petit port de la mer Rouge […] à dix lieues d'éloignement. Là ils le chargent sur de petits bâtiments qui le transportent soixante lieues plus avant dans le golfe, à un autre port plus considérable, nommé Gedda ou Zieden, qui est proprement le port de La Mecque. De ce port le café est encore rechargé sur des vaisseaux turcs, qui le portent jusqu'à Suez […] ; d'où étant encore chargé sur des chameaux, il est transporté en Égypte & dans les autres provinces de l'empire turc, par les différentes caravanes, ou par la mer Méditerranée. » Chemeliers des caravanes du Yémen ou d'Égypte, et marins de la mer Rouge furent ainsi, aux XVIᵉ et XVIIᵉ siècles, les premiers messagers d'une boisson bientôt universelle.

◼ Chicorée

La chicorée est une plante herbacée de la famille des endives, dont elle rappelle la saveur… On la sèche et on la torréfie pour composer un ersatz de

café. Napoléon Iᵉʳ en imposa la consommation lors du Blocus continental, mais les Français* y prirent goût. Elle demeure de tradition dans le Nord, mélangée au vrai café. Tout comme le robusta*, dont les Français usent immodérément et qui a déformé leur goût, elle est responsable du faible niveau de connaissance et d'exigence, en France, en matière de qualité du café. Contrairement aux Allemands, par exemple, habitués depuis toujours à la subtilité fruitée des arabicas* peu torréfiés*, les Français dans leur majorité, entraînés par l'âpreté de la chicorée, se contentent encore de potions corsées et amères.

Les Italiens* quant à eux ont le *caffè d'orzo*, autrement dit une infusion* ou une percolation d'orge grillée. Pour éviter la caféine*, ils sont aujourd'hui de plus en plus nombreux à redécouvrir cet ersatz courant lors de la dernière guerre, légèrement amer et au petit goût de brûlé.

■ Chocolat

Apparus en même temps en Europe, chocolat et café se sont toujours mariés avec bonheur. Chocolat au café et café au chocolat demeurent, sous toutes leurs formes qui sont nombreuses, les plus délicieuses, les plus exquises alchimies du goût inventées par l'homme. Le cacao parfume depuis longtemps le café en Italie* : légèrement avec le *cappuccino*, plus franchement à Turin avec le *bicerin*, mélange à parts égales de café, de chocolat et de crème*. Les Italiens ont également inventé un bonbon de chocolat fourré de crème, qu'on fait fondre dans son café. Aux États-Unis, où la mode californienne des cafés aromatisés a gagné tout le pays, l'un des parfums les plus appréciés est celui du chocolat. Mais les chocolats parfumés au café demeurent partout au monde plus courants

que les cafés aromatisés au chocolat. L'union la plus insolite, et sans doute la plus bouleversante, s'effectue d'ailleurs chez les meilleurs artisans chocolatiers : un véritable grain d'arabica* torréfié bien craquant, enrobé d'une tendre couche de chocolat. Ici, les goûts et les matières s'allient en une inoubliable bouchée de plaisir pur.

■ Coffee houses

Le premier café* anglais fut ouvert en 1650 à Oxford. Il était fréquenté essentiellement par des étudiants. Deux ans plus tard, les Londoniens découvraient la première *coffee house*, installée à Cornhill, dans la St. Michael Alley. À la fin du XVIIe siècle, ce type d'établisse-

ment se comptait par centaines. Le *Grecian* faisait partie de ces cafés d'intellectuels qu'on appelait à Londres, en se référant au modeste minimum qu'on devait y dépenser (le *minimum charge*), les *penny universities*. Deux de ces cafés furent successivement les temples de la littérature* anglaise, où se rencontraient auteurs et éditeurs. Le *Will's*, tout d'abord, où des écrivains tels que Jonathan Swift, Alexander Pope, Joseph Addison ou Samuel Pepys s'attablaient en compagnie de John Dryden. Vers 1712, ce fut au tour d'une *coffee house* portant le nom de son fondateur, le poète Daniel Button, d'attirer l'élite de la littérature anglaise, et surtout les écrivains du parti whig.

Deux facteurs allaient subitement mettre fin, dans les années 1730, à l'engouement des Anglais pour le café. D'abord, les *gentlemen* se lassèrent de ces *coffee houses* où on laissait entrer n'importe quel individu qui pouvait fort bien, pour un *penny*, s'asseoir à leur table. Ensuite, et surtout, l'époque vit le triomphe du thé : l'East India Company qui, contrairement aux compagnies* commerciales hollandaise et française, n'avait pratiquement pas de café colonial à négocier, préféra se tourner vers le thé de Chine. Le gouvernement l'encouragea vivement dans ce nouveau commerce. Au XIXe siècle advint le règne incontesté du thé de l'Empire britannique des Indes.

Un café à Londres, Angleterre, 1668. Londres, British Museum.

■ COLOMBIE

Résidence d'un planteur en Colombie.

La Colombie produit environ 15 millions de sacs de café (de 70 kg) par an, ce qui la place en deuxième position mondiale après le Brésil*. Mais elle est le premier exportateur mondial d'arabica* (contrairement au Brésil, elle ne produit pas de robusta*) et le premier producteur* mondial de « café lavé » – que les professionnels appellent *mild* (voir Traitement). Autant dire que, pour ce pays de près de 35 millions d'habitants, le café tient une place considérable dans l'économie et que toute fluctuation de prix ou de récolte a d'importantes conséquences. Ici, toute chute des cours concerne des centaines de milliers de personnes… et favorise la culture de la coca.

Ce sont des missionnaires espagnols qui plantèrent l'arabica, au début du XIXe siècle, sur les pentes abruptes de la cordillère des Andes. Il y croît entre 900 et 2 000 mètres d'altitude. Ces bonnes conditions géographiques, ajoutées à des conditions de culture* et de traitement extrêmement soignées, font du café de Colombie l'un des meilleurs du monde. Il est réputé pour sa douceur et son onctuosité, très utile pour atténuer le caractère corsé d'autres grains dans les mélanges*.

Ses meilleurs crus* portent le label « Excelso » ou « Supremo ». Ce dernier, qui présente les grains les plus gros, est en général de meilleure qualité, ou tout au moins plus constante : il offre un café suave, doux et parfumé, parfait au petit déjeuner. Outre le label, sont également précisées les régions de production : Medellín, Armenía, Nariño, Bogotá…

Plantation de jeunes caféiers.

En plus de ses qualités propres, le café de Colombie bénéficie d'une politique commerciale extrêmement dynamique, qui lui assure une excellente image de marque et un fort taux de notoriété dans le monde (le « Café de Colombie » sponsorise bon nombre d'événements sportifs). Importé dans la CEE (essentiellement en Allemagne, qui achète plus du tiers de la production), il profite aussi de tarifs douaniers avantageux, dans le cadre d'un plan de lutte contre la production de feuilles de coca.

Le Port d'Amsterdam, 1666. Peinture de Ludolf Backhuysen.

Compagnies maritimes

Dès les premières années du XVIIᵉ siècle, à l'ancestral négoce oriental du café du Yémen – celui des caravanes* – se substitua peu à peu celui des grandes compagnies maritimes européennes. Fondée en 1600 à Londres, la East India Company fut la première à envoyer ses navires sur la route des Indes. Neuf ans plus tard, elle fut aussi la première à aborder Moka*, afin d'évaluer les perspectives commerciales qui s'offraient sur la « côte du café » yéménite.

Mais ce furent plutôt les marchands de la Compagnie hollandaise des Indes orientales, fondée en 1602, qui surent gagner la confiance des gouvernants de Moka. En 1616, le marchand Pieter Van der Broecke parvint à obtenir d'excellentes conditions d'achat du grain et surtout à subtiliser quelques plants qu'il rapporta à Amsterdam, où ils furent plantés avec succès au jardin botanique. Quarante ans plus tard, ces plants furent à l'origine des caféicultures hollandaises à Ceylan puis dans l'archipel indonésien. En attendant que son propre café supplante définitivement celui du Yémen – ce qui se produisit au cours du XVIIIᵉ siècle –, la Compagnie hollandaise des Indes orientales établit un comptoir à Moka pour exporter du café aussi bien en Hollande que dans ses nouvelles possessions d'Asie.

En contournant l'Afrique, l'East India Company et la Compagnie des Indes orientales (fondée en 1664 par Colbert) vinrent aussi se ravitailler à Moka jusqu'au milieu du XVIIIᵉ siècle. Après l'apparition du café hollandais d'Asie, ce fut au tour du café français, acclimaté en Guyane, dans les Antilles* et dans l'île Bourbon (future île de la Réunion), d'apparaître en Europe, transporté par la Compagnie des Indes.

■ Conseils

Pour obtenir un bon café, quelques règles sont communes à toutes les préparations. La première est qu'il n'est pas de bon breuvage sans café de qualité, fraîchement torréfié* et moulu. Dans le cas de cafés vendus pré-emballés, privilégiez les emballages à valve, qui garantissent un meilleur arôme. Pour prolonger sa fraîcheur, conservez votre café en grains ou moulu dans votre réfrigérateur, dans une boîte hermétique. Utilisez une mouture* adaptée à votre type de cafetière* (pour cela, faites moudre votre café dans une brûlerie*, ou broyez votre café vous-même dans un moulin réglable). Il convient ensuite d'utiliser une bonne eau sans

La Jeune Ménagère.
Peinture de Louis Léopold Boilly, v. 1800.
Zurich, Johann Jacobs Museum.

« *Carrée dans son fauteuil de paille, ma mère moulait le café embaumé, qu'elle torréfiait elle-même. Les heures du matin lui furent toujours clémentes ; elle portait sur ses joues leurs couleurs vermeilles.* »

Colette, *La Maison de Claudine*, 1922.

chlore, donc de source, minérale ou filtrée. Au moment de la préparation, la température de l'eau doit être entre 90 et 95 °C, c'est-à-dire qu'elle doit frémir : pas assez chaude, l'eau ne pourra pas extraire les composés aromatiques du café ; bouillante, elle « cassera » ces composés et rendra l'ensemble amer. Sachez aussi que vous devez nettoyer soigneusement la cafetière après usage : les dépôts de vieux marc, ou de composés gras et acides, risquent d'altérer les arômes.

« Café bouillu, café foutu », prévient justement le célèbre dicton. Seul le café turc* auto-rise de faire bouillir le café, selon une technique particulière. Veillez donc à ne jamais trop réchauffer un café : lorsqu'il est prêt et que vous voulez le garder chaud, versez-le dans une carafe isotherme plutôt que de le laisser sur un brûleur ou sur la plaque chauffante d'une cafetière électrique.

Consommation

Apprécié dans tous les pays du monde, le café est considéré comme la deuxième boisson consommée après l'eau : deux habitants de la planète sur trois boivent du café, pour un total estimé à 2,5 milliards de tasses

de café par jour. En France, 90 % des adultes boivent du café ; 85 % d'entre eux en boivent tous les jours, 79 % au petit déjeuner et 48 % après le déjeuner.

Voici les pays où l'on consomme le plus de café par habitant : la Finlande et la Suède (13 kg par habitant et par an, soit environ 5 tasses par jour) ; le Danemark et la Norvège (12 kg par habitant et par an, soit entre 4 et 5 tasses par jour) ; les Pays-Bas (9 kg par habitant et par an, soit plus de 3 tasses par jour) ; l'Allemagne (2e importateur mondial), l'Autriche*, la Belgique et le Luxembourg (8 kg par habitant et par an, soit 3 tasses par jour) ; la France* (3e importateur mondial) et la Suisse (6 kg par habitant et par an, soit entre 2 et 3 tasses par jour) ; les États-Unis (4,5 kg par habitant et par an, soit un peu moins de 2 tasses par jour – 1er importateur mondial) et l'Italie* (mêmes chiffres – 5e importateur mondial).

Parmi les autres peuples, les Canadiens consomment 4 kg de café par an, les Espagnols 3 kg, les Britanniques 2,5 kg, les Japonais 2 kg (ce qui fait du Japon le 4e importateur mondial).

■ COSTA RICA

Récolte de café, plantation Monte Alegre.

Transport de la récolte, 1934.

Onzième producteur mondial avec près de 3 millions de sacs (de 60 kg) par an, le Costa Rica, petit pays d'Amérique centrale, est le paradis des amateurs de bon café : la culture du robusta* y est tout simplement interdite par la loi ! Avec 25 % des exportations, le café est la principale richesse du pays. Il emploie à temps plein un dixième de la population, et un cinquième durant la récolte (qui dicte les dates des vacances scolaires…).

Les premiers plants de café ayant poussé ici, vers 1780, venaient de Cuba. La caféiculture à proprement parler n'a débuté qu'en 1808. Veillant très soigneusement à la qualité de la production, le Costa Rica offre aujourd'hui des crus* magnifiques, qui s'épanouissent surtout en altitude dans la région de San José : les Tarrazu, par exemple (il y en a une vingtaine dans cette région), le Tres Rios ou le Tournon (planté au début du XIXᵉ siècle par un Français de ce nom) sont des cafés denses et très parfumés, alliant corps et arôme, bien équilibrés, légèrement acidulés et plutôt corsés. Mais tous les cafés produits ici sont d'excellents crus, et il y en a plus de trois cents, portant les noms de plantations* ou de coopératives. Ils bénéficient d'un sol volcanique idéal pour la caféiculture. Dans la vallée centrale du pays, les rendements, grâce à l'emploi d'engrais et à une excellente irrigation, sont parmi les plus forts du monde (environ 1,5 tonne par hectare). Les crus sont classés selon l'altitude des plantations. Ne peuvent bénéficier de la meilleure appellation – SHB (*strictly hard bean*) – que des cafés produits entre 1 200 et 1 600 mètres. On dégustera ces merveilles plutôt dans la journée, après le déjeuner par exemple, pour en savourer toute la richesse. Et l'on n'hésitera pas à choisir un caracoli* costaricien, véritable friandise relativement fréquente dans les meilleures brûleries*.

Négociants à la Bourse de café du Havre, v. 1890. Musée de l'Ancien Havre.

Cotation

Le café occupe le deuxième rang mondial des échanges commerciaux internationaux derrière le pétrole.

De 1962 à 1989, un accord mis en œuvre par l'Organisation internationale du café, regroupant les pays producteurs et consommateurs, modérait les fluctuations des cours, cotés aux Bourses de Londres (pour les robustas*) et de New York (pour les arabicas*) par un système de contingentements et de quotas : lorsque les cours chutaient, chaque pays voyait ses quotas d'exportation réduits pour les faire remonter. Cet accord ne fut pas renouvelé en 1989. Depuis, on assiste à d'énormes fluctuations de prix, liées aux conditions climatiques, aux situations politiques des pays producteurs et à la demande des pays consommateurs*. Par exemple, l'arabica qui valait 1 000 dollars la tonne à la fin de l'année 1993 en valait quatre fois plus l'été suivant, après les gelées ayant affecté les récoltes brésiliennes. Un an plus tard, en juillet 1995, son prix était retombé à 1 400 dollars, incitant tous les pays producteurs* d'Amérique latine à s'entendre pour limiter leurs exportations. Volumes des récoltes, loi de l'offre et de la demande mais aussi spéculations à la hausse ou à la baisse sont responsables de ces variations.

Pour des pays dont l'économie repose en grande partie sur le café, ces fluctuations sont dramatiques. Notons que la Bourse du café du Havre, aujourd'hui disparue, fut l'une des plus importantes du monde jusque dans les années 1960.

Cours du café enregistrés à la Bourse de Santos, Brésil, juin 1988.

■ Crème

Le « crème », ou « café crème », ou « petit crème », ou encore « noisette », est l'une des institutions les mieux établies des bistrots français* : il s'agit en général d'un express* auquel on ajoute un peu de lait* chauffé par un jet de vapeur. Pourtant, le « crème » authentique devrait se préparer avec de la crème véritable, à l'image du *kapuziner* autrichien*. L'équivalent italien* de ce « crème » français sans crème n'est autre que le délectable *cappuccino*, saupoudré d'une pincée de cacao, qui exige au préalable de bien faire mousser le lait en le chauffant à la vapeur : on verse d'abord sur l'express le lait liquide en retenant la mousse avec une petite cuillère, puis la mousse glisse et se dépose à la surface du nectar, parfois en y traçant de belles figures imaginées par le garçon. On y plonge ses lèvres avec un sentiment d'extase. Le *cappuccino* est évidemment le meilleur café au lait possible, par sa densité, son incomparable velouté. La vraie crème, quant à elle, offre tout son moelleux à de nombreuses préparations traditionnelles, du *caffè con panna* italien à l'irish* coffee irlandais.

Cappuccino servi dans un bar de Stresa, sur les rives du lac Majeur.

■ CRUS : À CONSOMMER PURS

Outre le Blue* Mountain, les meilleurs grains d'Amérique latine (voir Brésil, Colombie), les Mokas* et les merveilles d'Hawaï* ou d'Afrique de l'Est (voir Kenya), on trouve des cafés d'exception en Inde, où subsiste l'extraordinaire tradition du café « moussonné » : des grains de certains crus comme le Mysore ou le Malabar, à la fois corsés, légèrement épicés et acidulés, sont exposés aux vents de mousson durant au moins six semaines pour acquérir leurs qualités. L'Indonésie possède également d'excellentes plantations* d'arabicas* donnant des cafés en général très corsés. En font partie quelques arabicas de Java, et surtout de grands Sumatra, que certains producteurs font vieillir plusieurs années pour les adoucir. Ce sont aussi d'exceptionnels grands crus des Célèbes, dont le plus connu est le Kalossi.

En Amérique centrale, outre le Costa* Rica, le Guatemala offre de grands crus très complets, acidulés comme il convient, parfois épicés, voire un peu cacaotés, toujours corsés. Les plus célèbres sont les Antigua et les Coban. On trouve au Mexique les meilleurs grains au monde d'une variété géante d'arabicas née au Brésil, le maragogype (presque le double de la taille normale). Le maragogype Liquidambar donne un nectar très doux et parfumé, légèrement corsé. Le Nicaragua fournit aussi de succulents maragogypes, un peu plus corsés que les précédents, mais malheureusement de plus en plus rares, comme le Matagalpa et le Jinotega. Marié à une autre variété d'arabica, le pacas, le maragogype a donné naissance à un délicat hybride de grande taille et de couleur bleu-vert, le Pacamara. Il est cultivé au Salvador. Ce café aux saveurs très subtiles, d'une grande finesse, léger et parfumé, doit être peu torréfié*.

Cet aperçu des grands crus est loin d'être exhaustif. Un bon café, en effet, dépend beaucoup du travail des hommes, et il suffit parfois qu'un producteur consciencieux et passionné apparaisse dans une région jusque-là négligeable pour que naisse un grand cru.

Cueillette du café au Yémen.

■ Culture

Les caféières d'arabicas*, en altitude, sont souvent de petites exploitations familiales. Après être né et avoir grandi plusieurs mois en pépinière, le jeune arbuste est transplanté. Il donnera ses premiers fruits trois ou quatre ans plus tard, et produira vaillamment durant au moins quinze ans. Le caféier* a ceci de particulier que tous ses fruits – qu'on appelle « cerises » – n'atteignent pas leur pleine maturité en même temps. Floraison et fructification se produisent en fait après chaque pluie. Si des pluies surviennent tout au long de l'année, les caféiers portent en permanence des fruits verts et des fruits mûrs. La plupart des pays caféiers connaissent une ou deux saisons de pluies, qui durent plusieurs mois. En octobre au Kenya*, en avril en Nouvelle-Guinée, en août à la Jamaïque, les premières cerises rouges apparaissent et la récolte commence.

Dans les meilleures caféières, on ne cueille que les fruits mûrs. Aussi, la récolte, toujours manuelle, dure plusieurs mois et requiert parfois jusqu'à six ou huit passages sur un même caféier : cette méthode est appelée *picking*. Dans des plantations* produisant des grains de qualité inférieure, au Brésil* par exemple, on ne passe qu'une fois sur les caféiers pour enlever toutes les cerises des branches, vertes ou rouges. La méthode, appelée *stripping*, est plus rapide et beaucoup moins coûteuse en main-d'œuvre. Au Brésil, où le café pousse en plaine, on utilise aussi des machines enjambant les arbustes et arrachant toutes les cerises. Mais aucun grand cru* ne pourrait subir ce traitement. Comme tous les travaux des caféières qui se font à la main, la récolte des bons cafés est très souvent l'affaire des femmes, aidées dans de nombreux pays par les enfants. Les cerises subissent ensuite un traitement* qui dégagera leurs grains.

Publicité pour le café décaféiné Hag, Allemagne, v. 1930.

■ DÉCAFÉINÉ
Un long traitement du grain

Il existe essentiellement deux méthodes pour décaféiner un grain vert. La première consiste à amollir le grain dans l'eau chaude ou à la vapeur pour le rendre poreux, à le plonger dans un bain de solvant chimique qui ne diluera que sa caféine*, puis à le rincer à nouveau dans l'eau ou à la vapeur avant de le sécher. La seconde consiste à plonger le grain durant plusieurs heures dans l'eau, afin que s'y dissolve naturellement la caféine. Mais comme ce bain prolongé dissout également les composés aromatiques, on en récupère l'eau, on la traite avec un solvant absorbant la caféine, on extrait le solvant, puis on replonge le grain dans l'eau décaféinée pour qu'il absorbe à nouveau ses composés aromatiques. Est-il utile de préciser qu'il est impossible, avec l'une ou l'autre de ces méthodes, de conserver tout le potentiel de parfum et de saveur du café ? Et que si un mauvais robusta* n'y laissera pas grand-chose, un grand cru* d'arabica* y perdra forcément toute sa subtilité ? Un nouveau procédé utilisant le dioxyde de carbone, au résultat plus satisfaisant, se répand heureusement aujourd'hui. Si l'on est contraint au décaféiné, il convient donc d'éviter les bons crus d'arabicas – que vous ne reconnaîtriez plus – et de préférer les mélanges* 100 % arabicas qui permettent au torréfacteur* d'enrichir un tant soit peu l'arôme. Il convient surtout de privilégier l'express*, dont les qualités finales dépendent moins de celles du grain qu'un café-filtre ou une infusion*. La différence entre un express normal et un express décaféiné demeure dans les limites de l'acceptable pour des palais moyennement exigeants.

■ Décoction

La décoction fut la seule préparation connue avant les premières années du XVIIIe siècle. Elle subsiste encore dans les pays scandinaves, telle la Norvège, où l'on fait couramment bouillir son café.

Mais la seule décoction admise par les puristes, car elle est brève, est celle du très oriental café turc*. Voici comment on le prépare à Istanbul : dans un petit récipient en métal à long manche appelé *cezve* (prononcer *djèzvè*), on verse, pour une tasse de café, une petite tasse d'eau ; on y mélange deux petites cuillères à café de mouture, aussi fine que de la farine, d'un café très légèrement torréfié*, et du sucre à volonté (l'équivalent d'un sucre par tasse est la moyenne courante) ; on fait chauffer à feu moyen. Lorsque le liquide s'élève en formant de la mousse, on remue avec la petite cuillère tout en laissant le liquide monter, puis on verse un fond de café dans la tasse. On remet le *cezve* au feu, et on verse tout le reste du café dans la tasse, avec le marc, dès le second bouillon.

Il existe bien entendu des variantes. On fait bouillir trois fois le café en Grèce, on le torréfie considérablement au Liban, on le parfume très souvent à la cardamome en Égypte et dans certains pays arabes.

Il convient naturellement d'attendre au moins deux minutes, le temps que le marc se dépose dans le fond de la tasse, avant de déguster.

Cezve pour la préparation du café turc.

■ Dégustation

La dégustation est la principale tâche des experts et négociants en café, que ce soit pour décider d'un achat de grains au producteur (en général sur échantillon), vérifier la qualité d'un grand cru* à sa livraison, ou procéder à un mélange*. Contrairement à l'imagerie publicitaire, la dégustation s'opère surtout dans les laboratoires des compagnies importatrices. Elle obéit à des protocoles très variables, mais il s'agit souvent d'un test de plusieurs « nez » professionnels, installés autour d'une table ronde à plateau tournant. Sur ce plateau sont disposées des tasses de porcelaine blanche emplies de différents nectars. Chacun des dégustateurs saisit une petite cuillerée du breuvage placé devant lui, la hume, puis l'aspire bruyamment. Les commentaires fusent, soigneusement notés : « Le 2 est dur », « Le 4 est aigre », « Le 1 est un peu herbeux », etc. Le plateau tourne, les avis divergent, le débat s'engage. Lorsque chacun a goûté deux ou trois fois chaque café, on soulève les tasses pour découvrir son nom inscrit sur un petit papier. Pour définir les défauts rencontrés parfois, les dégustateurs possèdent un vocabulaire précis. On dira par exemple d'un café qu'il est âcre, brûlé, fétide, moisi, rhumé… En revanche, les mots se font plus rares et souvent plus abstraits pour évoquer la qualité : acide (mot qui désigne en réalité l'acidulé), fruité, riche, plein, rond, fin, doux, suave… Sans doute parce qu'un café parfait offre des sensations trop subtiles pour être facilement comparées.

▣ Divination

Le passé recelant des mystères bien difficiles à percer, nul ne sait au juste depuis quand l'avenir se lit dans le marc de café… Mais il semble si naturel de vouloir déchiffrer quelques signes dans les traces brunes que laisse le marc sur les parois des tasses, qu'on peut admettre que cette coutume est née en même temps que le café lui-même, soit… il y a fort longtemps. Le café turc*, dont le mode de préparation induit la présence de marc dans la tasse, est le seul café permettant de prévoir de quoi demain sera fait. Très à la mode en Europe au XIXe siècle, le grand art de la « cafédomancie » se pratique en retournant sa tasse sur la soucoupe une fois le nectar bu. En quelques minutes, le marc s'écoule le long des parois de la tasse, l'ornant de figures codifiées depuis des lustres : une croix prévient qu'il faut ménager sa santé, des flammes avertissent qu'il vaut mieux ne pas se fier à ses intuitions, un tracé évoquant un papillon signale la présence d'ennemis dans les parages ; mais une tête de cheval est de très bon augure pour ses affaires de cœur, et un poisson vous permet d'espérer la chance de votre vie…

Les Esclaves noirs apportant leur récolte de café, Brésil.
Gravure de Moritz Rugendas, milieu du XIXe siècle.

Culture du café en terrasses au Yémen.

◼ Esclavage

Volé à l'Arabie au début du XVIIe siècle (voir Compagnies maritimes), le café avait été planté entre les deux tropiques tout autour du monde à la fin du siècle suivant par les différentes puissances coloniales. Les Hollandais avaient été les premiers, dès la fin du XVIIe siècle, à développer leurs plantations* à Java grâce au travail forcé de paysans réduits à l'esclavage, puis au début du siècle suivant à organiser la traite d'esclaves pour fournir en main-d'œuvre quasi gratuite les planteurs de café de Guyane. Toutes les plantations des Antilles*, puis celles du Brésil*, furent aussi travaillées par des centaines de milliers d'hommes, de femmes et d'enfants enlevés d'Afrique.

La caféiculture brésilienne doit beaucoup au système esclava-giste. Le défrichage des forêts tropicales, l'entretien de la fazenda – la plantation – et les récoltes exigeaient une main-d'œuvre abondante. Rien d'autre que la mort de l'esclave, courante, ne devait interrompre sa tâche : ni l'humidité torride du climat tropical, ni les moustiques, ni les serpents, ni les maladies, ni la menace des Indiens. Pour s'en assurer, régnait une discipline de fer. Le fouet était la punition la plus courante. Les fers aux pieds et les carcans liant les mains aux chevilles figuraient dans la panoplie des supplices, avec la mort, qui sanctionnait les fuyards récidivistes. Certes, il existait ici ou là des *fazendeiros* moins cruels. Et d'une manière générale, le sort des esclaves s'améliora peu à peu jusqu'à l'abolition de l'esclavage en 1888.

ÉTHIOPIEN ET YÉMÉNITE : LE PLUS ANCIEN DES CAFÉS

On s'accorde aujourd'hui à situer en Éthiopie le berceau du *Coffea arabica*, et l'origine de la coutume de consommer du café. Mais celui-ci connut son premier véritable essor en Arabie, en particulier au Yémen. La croyance populaire arabe la plus répandue veut que ce soit un grand maître soufi, Ali ben Omar al-Shadili, surnommé le « saint de Moka », qui introduisit le café éthiopien au Yémen à la fin du XIVᵉ siècle. En 1997, lors de fouilles archéologiques, la découverte près de Dubaï (Émirats arabes unis) d'un grain de café datant du XIIᵉ siècle, provenant vraisemblablement du Yémen, a repoussé d'au moins deux siècles la date de cette introduction.

En pays oromo, les Éthiopiens mangent volontiers, tel quel, le *boun*, le fruit du caféier*. C'est aussi le nom de l'arbre, et celui de la boisson qui est souvent en Éthiopie, comme au Yémen le très populaire *qishr*, une décoction de la peau et de la pulpe du fruit légèrement grillées, sans les grains. Quant aux Éthiopiens du pays galla, ils pilent ces fruits, en font une farine qu'ils mélangent à de la graisse animale pour produire une sorte de bouillie stimulante. Dans la pharmacopée éthiopienne traditionnelle, infusions de grains verts ou de feuilles de café, aux vertus nombreuses, jouent toujours leur rôle.

Mais dans ce berceau mondial du café, où l'on produit l'un des meilleurs grains du monde, le Moka*, on déguste aussi notre bon nectar issu de grains torréfiés*. L'Éthiopie est aujourd'hui l'un des très rares pays où l'on consomme presque autant de café qu'on en produit. Chaque famille torréfie son grain vert tous les matins. Le café est traditionnellement infusé trois fois, offrant des sensations de plus en plus douces.

Étymologie

C'est au Yémen, sur la rive de la mer Rouge d'où le café partit à la conquête du monde, que la boisson acquit son nom arabe de *qahwa*, d'où dérivent le mot français « café » et ses dizaines d'équivalents dans le monde : *coffee* en anglais, *Kaffee* en allemand, *koffie* en néerlandais, *caffè* en italien, *kafeo* en grec, *qehvé* en persan, *kawa* en polonais, *kahveh* en turc... Dans l'ancienne langue poétique arabe, le mot *qahwa* désignait déjà une autre boisson modifiant quelque peu l'acuité de l'esprit : le vin. Les premiers Arabes buveurs de café, les mystiques soufis du Yémen, reprirent ce mot pour nommer la boisson bénéfique qui leur permettait de soutenir leur attention lors de leur pratique liturgique et qui, à partir d'un grand récipient en terre rouge, leur était rituellement versé dans de petites tasses par le maître de la confrérie. Le service était accompagné d'une incantation particulière, l'un des noms d'Allah (*qawi*, « puissant », choisi pour sa ressemblance avec *qahwa*) étant répété cent seize fois.

Express

Inventée par le Milanais Achille Gaggia en 1948, la percolation sous haute pression*, caractéristique de l'express, offre un café à tous égards très différent des autres. Cette pression émulsifie en effet les huiles et les colloïdes présents dans le café, et donne un breuvage d'un corps particu-

lièrement dense, couvert d'une crème suave, long en bouche et très aromatique. Parce qu'elle est rapide, la percolation sous haute pression ne retient des grains que le meilleur, le plus doux, le plus parfumé. Si la machine est suffisamment puissante (au moins 14 bars), bien entretenue et bien utilisée, si le café est fraîchement torréfié* et moulu comme il convient (finement), l'express sera forcément délicieux. Un bon express se reconnaît immédiatement à la couleur et à la texture de sa crème : elle doit offrir à l'œil une teinte noisette, tirant sur le roux ou sur le brun selon la qualité du café, et une texture homogène et opaque de trois ou

Un percolateur Gaggia.

Un *ristretto* (express « serré »).

quatre millimètres d'épaisseur. L'express, s'il ne révèle pas l'intégrale richesse que peut receler le fruit du caféier, apporte néanmoins à nos sens émerveillés quelque chose d'autre, qui appartient au royaume des friandises les plus sophistiquées. Son faible volume et son exquise douceur évoquent un petit four. C'est pourquoi il est davantage un dessert de fin de repas, ou une gourmandise entre les repas, qu'une boisson revigorante et désaltérante du matin. Pour savourer plus de corps, et absorber moins de caféine*, on le commandera « serré ».

■ Extraits et liqueurs

Pour parfumer au café les glaces et les pâtisseries, cuisiniers professionnels et amateurs utilisent depuis longtemps des « extraits » de café. Dans le cas d'extraits naturels, il s'agit tout simplement de cafés concentrés, qui peuvent aussi agréablement aromatiser un lait* chaud et se conservent longtemps. Autre produit dérivé, la liqueur de café entre dans la composition de quelques cocktails. La célèbre liqueur mexicaine Kahlúa, très populaire aux États-Unis, est composée de bons arabicas* mexicains, d'alcool de canne, de vanille et de caramel. Faiblement dosée en alcool (26°), elle peut se siroter telle quelle, et mieux encore fournir la base de cocktails classiques tels que le Black Russian (liqueur de café-vodka), ou plus originaux comme le Kahlúa-lait (avec des glaçons). Il va sans dire qu'aucun arôme artificiel de café ne peut rivaliser avec ces préparations naturelles.

■ **Filtre.** Voir Melitta

Hippolyte
Benjamin Adam,
*Marchande de café
au coin de la porte
Saint-Denis*, 1830.
Aquarelle. Paris,
musée Carnavalet.

■ FRANÇAIS
La tradition du « petit noir »

En 1669, après l'arrivée à Paris de Soliman Aga, ambassadeur du sultan Mehmet IV, la mode des « turqueries » et du café gagna la capitale. En 1672, un Arménien nommé Pascal ouvrait le premier débit de café parisien, dans l'une des cent quarante échoppes de la foire Saint-Germain. Il avait été précédé d'un an par un cafetier de Marseille, où le breuvage était déjà apprécié à domicile depuis une dizaine d'années. Grâce à une production coloniale abondante et à des prix relativement raisonnables, le café gagna dès les années 1750 les classes populaires, chez lesquelles il remplaça la soupe au petit déjeuner. Au XIXe siècle, c'est un stimulant pour combattre la fatigue et le froid que recherchaient avant tout les ouvriers. Dans *Germinal*, Émile Zola a montré l'importance, chez les mineurs du Nord, de ce produit considéré comme presque aussi vital que le pain.

Il existe aujourd'hui en France quelque soixante-dix mille cafés*, fréquentés chaque jour par près de cinq millions de personnes, où l'on peut consommer un « petit noir ». Chez soi, on boit de plus en plus souvent des express* à l'italienne, et l'on tente sur sa petite machine à pression de réussir son café crème*. En matière de qualité, la France souffre pourtant toujours de quelques handicaps historiques : la tradition venue d'Orient d'une torréfaction* uniforme et souvent excessive ; une relative corruption du goût qu'a entraînée l'usage courant de la chicorée* ; l'obligation d'absorber, du début du siècle jusqu'aux années 1960, le robusta* des colonies africaines. Mais les temps changent. Dans tout le pays, des centaines de petites brûleries* proposent désormais d'excellents arabicas* d'origine, et cette tendance gagne les torréfacteurs* industriels.

Un marchand
de café ambulant
devant les Halles,
v. 1900.

■ Frappé

Le froid produit sur le café une délicieuse métamorphose. L'été, il n'est rien de plus agréable que l'une des nombreuses versions du café frappé. En Italie*, on consomme un café froid versé sur des glaçons pilés, aussi frais qu'une source jaillissant en Calabre en plein été : la *granita di caffè*, nappée ou non de *panna* (crème* fouettée). Le petit déjeuner des Siciliens se compose, même l'hiver, d'une *granita di caffè con panna*, accompagnée d'une sorte de brioche. L'Italie offre aussi son *caffè freddo shakereto*, autrement dit un express* sucré qui, bien secoué dans un shaker avec de la glace, se transforme en une exquise mousse fraîche, que l'on sert dans un grand verre. Le simple café frappé est encore plus facile à réaliser : il suffit de préparer un café, de le sucrer éventuellement, puis de le placer au réfrigérateur dans un quelconque récipient hermétique. Si l'on veut servir la boisson avec des glaçons, il convient naturellement de préparer son café avec moins d'eau.

Verres de café glacé servis couverts d'une serviette humide.

■ Garçon de café

« Toujours crier, toujours courir, jamais s'asseoir… », s'apitoyait Germain Nouveau en évoquant ce personnage souvent haut en couleur qu'est,

depuis bientôt un demi-millénaire, le garçon de café*. Qu'il soit misérable gamin dans une pauvre échoppe du tiers monde, ou personnage stylé dans un établissement prestigieux de Paris, de Vienne ou de Venise, son statut diffère mais ses qualités doivent être les mêmes : célérité, dextérité, affabilité, connaissance des habitudes de ses clients, discrétion. Au XIXe siècle, certains furent célèbres : Prévost au *Tortoni*, le café de l'Opéra, qui amusait ses clients avec sa fausse obséquiosité, souvent imitée depuis ; le surnommé « Boum ! », qui faisait retentir son cri pour se frayer un passage à travers la terrasse de la *Rotonde* ; ou encore Lemblin, aussi à la *Rotonde*, qui ouvrit son propre café – devenu bientôt l'un des plus chics du Palais-Royal – avec l'argent de sa maîtresse. C'est au cours du second Empire que se généralisa l'uniforme composé de la veste et du grand tablier noirs. Le tablier fut par la suite abandonné.

Garçons de café parisiens en 1925.

■ HAWAÏ KONA

Caféiers plantés à même la roche volcanique, île d'Hawaï.

Le seul café produit aux États-Unis, plus précisément dans l'île d'Hawaï, est l'un des crus* les plus prestigieux du monde. Le Kona (nom de la région des plantations) provient de plants d'arabicas* brésiliens et guatémaltèques introduits dans l'île respectivement en 1818 et 1829. Il est cultivé sur les pentes du volcan Mauna Loa, qui culmine à plus de 4 000 mètres d'altitude. Les 650 fermes environ qui le produisent, en moyenne de deux hectares chacune, sont situées entre 250 et 750 mètres d'altitude et s'étendent le long d'une *coffee belt* de vingt miles. Éruptions du volcan suivies de pluies acides ainsi que tornades peuvent sensiblement compromettre la production*. Mais lorsque la nature est bienveillante, les gros grains d'un vert magnifiquement pur et lustré du Kona profitent de la grande fertilité du sol volcanique et donnent, une fois légèrement torréfiés*, un breuvage très doux parfait pour le soir, légèrement acidulé et poivré, doté d'un arôme parfaitement suave. Le seul défaut du Kona est son prix élevé (la production est faible – moins de 500 tonnes par an –, la qualité parfaite, la main-d'œuvre japonaise et philippine chère, la demande des touristes américains abondante, les exportations rares). Mais pour certains, le Hawaï Kona est le meilleur café du monde et vaut bien son prix.

Tous les cafés d'Hawaï sont cultivés dans le district de Kona et ont droit à cette appellation. Le Hawaï Kona est toujours un très grand café, même si une hiérarchie existe entre trois grades selon la taille des grains et le nombre de grains défectueux admis : le Kona Extra Fancy (les plus gros grains et le plus petit nombre de grains défectueux), le Kona Fancy et le Kona Prime. Quoi qu'il en soit, le sublime café d'Hawaï est toujours vendu sous son appellation de Kona, et doit naturellement être consommé pur.

Culture du café à l'île Bourbon. Aquarelle attribuée à Patu de Rosemond, première moitié du XVIIIe siècle. Paris, musée des Arts africains et océaniens.

Bâtiments d'une plantation à Java, v. 1900.

▪ Implantation

La première étape importante de l'implantation du café dans le monde fut le passage de la mer Rouge, du berceau éthiopien* – où il était cueilli – au Yémen, où naquit une caféiculture qui semble attestée dès le XIIe siècle. Cultivé dans les montagnes de l'« Arabie heureuse », le café, étroitement surveillé par les souverains yéménites (tous les grains quittant les ports de la mer Rouge devaient au préalable être grillés ou ébouillantés afin qu'ils ne puissent germer ailleurs), ne les quitta plus jusqu'au milieu du XVIIe siècle. Ce n'est qu'en 1658, en effet, que les Hollandais mirent en culture à Ceylan, puis en Inde du Sud, des plants subtilisés quarante ans plus tôt à Moka* et qui prospéraient depuis au Jardin botanique d'Amsterdam. En 1696 furent transportés d'Inde jusqu'à Batavia – la future Jakarta – les grains qui allaient être à l'origine des plantations* hollandaises dans

l'archipel indonésien. Au début du XVIIIe siècle, ce nouveau café, hollandais et venu d'Asie, fut suivi par le café français des Antilles* et de Guyane, issu également des serres d'Amsterdam, mis en culture à partir des années 1720 et lui aussi jalousement gardé. La culture du café commençait en même temps au Brésil*, à partir de grains volés en Guyane française… À la fin du XVIIIe siècle, répandu par les puissances coloniales, le café était cultivé par des jésuites espagnols en Colombie*, en Amérique centrale ou aux Philippines, et par les Anglais en Jamaïque. Les Portugais avaient également découvert dans l'actuel Angola des caféiers sauvages d'une autre espèce que les arabicas*, plus hauts et plus robustes, et les avaient mis en culture. Bientôt baptisés *Coffea canephora*, ils allaient devenir célèbres sous le nom de leur variété principale : le robusta*.

Infusion

C'est en France qu'on eut pour la première fois l'idée géniale d'infuser le café au lieu de le faire bouillir, préservant ainsi le meilleur de son arôme et sa saveur. Cette révolution se produisit vers 1710, avec l'apparition d'une cafetière* dotée à l'intérieur d'une poche en tissu (la « chaussette ») : on y versait d'abord la mouture, puis l'eau frémissante, et on laissait infuser quelque temps avant de retirer délicatement la poche. Un demi-siècle plus tard, la décoction* avait disparu en France au profit de l'infusion. Aujourd'hui, l'infusion de café se pratique essentiellement avec la cafetière à piston, rendue célèbre au début du siècle par le fabricant français Melior. On y fait un excellent café de corps

dense. En outre, ce type de récipient, parce qu'il est en verre, respecte toute la saveur du nectar : il est souvent utilisé par les dégustateurs* professionnels. Comment ne pas être aussi séduit par l'archaïsme de ce piston que l'on pousse à la main pour filtrer le café (au moins 10 grammes de mouture grosse par tasse) après qu'il a infusé ? On trouve depuis peu en Allemagne une cafetière à infusion qui ressemble à la Melior, excepté sur un point essentiel : son filtre est constitué d'une trame métallique très fine, qui épouse la forme du récipient. On le laisse à l'intérieur au moment de verser l'eau et la poudre, et on le retire en le soulevant après l'infusion. Ce procédé, qui tolère une mouture plus fine que le piston, permet aux grands crus* de donner le meilleur d'eux-mêmes.

La cafetière à piston Melior. Affiche de René Brno, v. 1950.

Insomnie

C'est à la caféine* que le café doit ses propriétés stimulantes, considérées comme bénéfiques ou nocives selon son état de santé*. Un petit café encourage indéniablement l'activité intellectuelle et physique. Le principal reproche qu'on lui fait est de provoquer l'insomnie. Or, s'il est vrai qu'à forte dose il peut devenir un excitant dangereux, une quantité raisonnable peut avoir des effets très variables selon les individus : Brillat-Savarin affirme dans sa *Physiologie du goût* (1825) que deux tasses de café l'avaient empêché de dormir durant quarante heures ; chacun connaît aussi des personnes pour qui trois tasses après dîner ne seront pas un obstacle au plus paisible des sommeils. Sur ces étranges fluctuations, médecins et chimistes se perdent en conjectures. Ils ne s'accordent que sur quelques opinions de bon sens : mieux vaut éviter tout excès de café en général, et se contenter de décaféiné* si l'on est sujet à l'insomnie.

Instantané

En 1899, un importateur de café et un torréfacteur américains prirent contact avec l'inventeur japonais du thé soluble, Sartori Kato, afin qu'il étudie la possibilité d'adapter son invention – un procédé de déshydratation – au café. Un chimiste américain fut appelé en renfort. Les quatre hommes créèrent la Kato Coffee Company et se mirent au travail. Deux ans plus tard, en 1901, grâce à la maison Kato, du café instantané soluble était vendu au public, à la Panamerican World Fair de Chicago. L'apparition en 1965 de la lyophilisation a constitué un grand progrès : le procédé consiste à préparer du café, puis à le congeler, le broyer et le sublimer (le faire passer à l'état gazeux) en le chauffant sous vide ; en refroidissant, il se transforme en paillettes. Aujourd'hui, pour dynamiser un marché que la généralisation des cafetières* électriques fait stagner, les compagnies misent sur des progrès en matière d'arômes et de saveurs, proposant par exemple des cafés instantanés composés à 100 % d'arabicas*, des versions au lait* et des versions *cappuccino**. On a toutefois du mal à imaginer comment elles pourraient parvenir à égaler l'arôme et la saveur d'un vrai café. L'invention aura eu le mérite d'initier au café des millions de personnes dans le monde, et de permettre ainsi à bon nombre de pays producteurs* de trouver de nouveaux débouchés.

Invention

Il fait froid et il pleut souvent sur les hauts plateaux d'Éthiopie*, où les caféiers poussent à l'état sauvage et où le café est né. Depuis quand les paysans et les bergers nomades consomment-ils les fruits du caféier pour la bienfaisante énergie qu'ils procurent ? Plusieurs millénaires peut-être. Le *boun*, le fruit du caféier*, est ici la base

de nombreuses préparations traditionnelles, très différentes du « café » : infusions*, bouillies, potions médicinales… Elles n'ont pas été abandonnées après l'apparition du breuvage tel que nous le connaissons, très populaire en Éthiopie. Si l'on pouvait lire le passé dans le marc de café, nous saurions précisément où et quand ce breuvage est né. Mais nous pouvons au moins imaginer comment : c'est peut-être un feu de broussailles qui, en torréfiant les graines de quelques caféiers sauvages, emplit un jour une heureuse contrée d'un irrésistible arôme ; les paysans eurent tôt fait de l'identifier, de le reproduire, et d'inventer le vrai café. L'exploitation rationnelle de plantations* de caféiers, autrement dit la caféiculture, semble quant à elle avoir été inventée de l'autre côté de la mer Rouge, au Yémen, au plus tard au XIIe siècle si l'on en croit une découverte archéologique récente.

Femme yéménite buvant du *qishr* (décoction du fruit légèrement grillé du caféier, sans les grains).

■ IRISH COFFEE
Whiskey, crème et bon café

L'irish coffee, célèbre café arrosé* irlandais savouré aujourd'hui partout dans le monde, a été inventé au lendemain de la Seconde Guerre mondiale par un barman de l'aéroport de Shannon. Il s'agit en général de deux tiers de café noir bien fort arrosé d'un tiers de whiskey (parmi la vingtaine de marques, les connaisseurs recommandent le Paddy, car il « mord bien la langue »). On ajoute du sucre roux, puis on le recouvre délicatement d'une couche de crème* très épaisse. Si l'irish coffee requiert une bonne qualité de café et un excellent whiskey, son principal secret tient néanmoins dans le petit rituel de la crème : on la verse dans le verre en la faisant glisser sur le dos d'une petite cuillère pour qu'elle se dépose délicatement en surface. Les Irlandais assurent que l'herbe tendre et les vaches laitières de leur île donnent la meilleure crème du monde, d'une inégalable onctuosité. Boire l'irish coffee est un art aussi subtil que le préparer, car il convient impérativement de savourer crème et café en même temps, et non successivement, en laissant passer le café à travers la crème. Mélanger les deux avec sa cuillère serait considéré comme un véritable sacrilège…

La Boutique de café.
Peinture d'après Pietro Longhi.

◼ ITALIEN : LE GRAND ART DE L'ESPRESSO

La première rencontre des Italiens et du café dut se produire aux alentours de 1600, par l'entremise des marchands vénitiens. Après le succès d'une première *bottega del caffè* (boutique de café) à Venise en 1683, des dizaines d'autres petits établissements ouvrirent dans toute l'Italie. Les Italiens les plus distingués se rencontraient dans des cafés* plus luxueux, tels le *Florian* à Venise ou le *Greco* à Rome. Aujourd'hui, il faut entrer dans l'un de ces innombrables petits *bars* où l'on ne consomme l'*espresso* que debout au comptoir, pour comprendre et apprécier l'art de vivre au quotidien dans la péninsule. Même si le goût change légèrement selon les régions – le café étant moins torréfié au Nord qu'au Sud –, partout l'express* est miraculeusement bon. On entendra le client demander soit un *ristretto*, un express serré nappant le fond de la tasse ; soit un simple *espresso*, un express emplissant à demi une petite tasse ; soit encore un *lungo* (« allongé »), un express léger emplissant la tasse entière. Chacun d'eux est préparé avec la même quantité de mouture*, environ 7 grammes. Certains gourmands ne s'en contentent pas, qui dégustent de préférence un *doppio* (« double »), une petite tasse préparée avec 14 grammes de café.

À côté de ces cafés noirs, et du divin *cappuccino*, on déguste le *caffè macchiato* (« taché »), un express teinté par deux petits nuages de lait*, auquel répond naturellement le *latte macchiato*, un lait troublé par quelques larmes de café. Plus épais, le *caffè con panna* est nappé d'un soupçon de crème* fouettée. Parmi les trésors des cafés italiens, il est encore d'autres spécialités exquises : le très stimulant *caffè corretto*, arrosé* à la grappa, et la *granita di caffè* (voir Frappé).

■ KENYA ET AFRIQUE DE L'EST

Au Kenya, à près de 2 000 mètres d'altitude, naît l'un des cafés les plus exquis du monde. On l'aime par-dessus tout pour son acidité (due à l'altitude, et qui en matière de café est une qualité recherchée), pour l'élégante désinvolture avec laquelle il impose sa saveur de fruit vert, bien loin de l'idée courante qu'on peut se faire du café. Son autre particularité est sa persistance en bouche. Ici, les meilleurs grains sont les plus gros, qui portent la classification AA, voire, à un prix exorbi-

tant car ils sont rares, AA « Plus ». Les Kenya sont incontestablement des cafés de printemps ou d'été. Parce qu'ils sont à la fois assez doux pour détendre et francs pour dynamiser, ils semblent inégalables aussi pour la pause-café. L'écrivain danois Karen Blixen fut, de 1914 à 1931, propriétaire d'une plantation* de café de deux cents hectares au nord de Nairobi : « Au milieu de la brousse, la vue d'un terrain bien délimité, avec des plantations bien régulières, fait plaisir », écrit-elle dans son roman La

Plantation de café au Kenya.

Ferme africaine (*Out of Africa*), paru en 1937. « J'étais toujours émerveillée par la belle ordonnance de mes plantations, d'un vert si frais au milieu de la plaine grise ; je sentais à quel point les figures géométriques répondent à un besoin de l'esprit. » Après l'indépendance du pays, de nombreuses plantations gérées par des Européens furent partagées et redistribuées à des paysans sans terre. Ce sont eux, devenus peu à peu des caféiculteurs experts grâce au concours de l'État, qui produisent aujourd'hui ce Kenya délicieusement acidulé, tant recherché par les amoureux de café authentique. D'autres pays d'Afrique de l'Est produisent des cafés exceptionnels, qu'on ne trouve pas toujours partout car ils sont peu abondants. Le Burundi offre un grain très recherché pour sa plénitude et sa douceur, le Zimbabwe se reconnaît à ses saveurs de citron et d'épices, tandis que le Tanzanie est un café tout aussi aromatique mais plus doux que le Kenya, cultivé sur les versants méridionaux du Kilimandjaro.

Paul Iribe,
Rivales.
Lithographie
parue dans
*L'Assiette au
beurre,* 1902.

▪ **Lait**

Depuis trois siècles, les Occidentaux édulcorent leur café avec un peu de sucre et de lait. Certains ne jurent que par le *cappuccino**. Mais en France comme en Italie*, café au lait et *caffelatte* traditionnels, servis dans un grand bol pour pouvoir y tremper sa tartine ou son croissant, demeurent les rois du petit déjeuner. En Autriche*, les meilleurs établissements offrent une vaste palette de nectars au lait à leurs clients, même si aucun ne peut égaler le café viennois *Herrenhof,* qui autrefois proposait vingt nuances de cafés au lait… L'association du tanin du café et de la caséine du lait rend parfois l'ensemble légèrement indigeste. Le café au lait n'en demeure pas moins un bon breuvage du matin, car sa saveur est plus douce que le café noir, surtout en France et en Italie où l'emploi de robustas* et de grains excessivement torréfiés* rend la boisson particulièrement corsée. Le lait atténue également l'acidité de certains cafés sans trop altérer leur goût.

■ La Roque (Jean de)

Fils du voyageur et négociant Pierre de La Roque – qui dès 1644 avait fait connaître le café à quelques privilégiés à Marseille –, Jean de La Roque relata dans son *Voyage de l'Arabie heureuse* les deux premières expéditions à Moka* commanditées par des négociants bretons, entre 1708 et 1710, et entre 1711 et 1713.

Ce récit connut un grand succès, déclencha de nombreuses vocations et participa à la vogue de l'orientalisme en France. Il fournit un extraordinaire témoignage sur Moka et le café du Yémen, mais aussi sur l'aventure que représentait alors la navigation jusqu'à l'Arabie en contournant l'Afrique.

En 1707, quelques armateurs et négociants de Saint-Malo achetèrent pour 7 000 francs le privilège (jusque-là détenu par la Compagnie* française des Indes orientales) de la traite du café en Arabie. Ils armèrent deux navires « de course », autrement dit deux navires corsaires autorisés à pratiquer le pillage en mer, équipés chacun de cinquante canons, *Le Curieux* et *Le Diligent*. Commandés par les capitaines Walsh et Lebrun de Champloret, sous la responsabilité commerciale du subrécargue M. de La Merveille (qui racontera l'aventure à Jean de La Roque), ils appareillèrent le 6 janvier 1708. Après de multiples péripéties, parvenus à Moka en janvier 1709, les Français y demeurèrent près de sept mois, achetant pour plus de 200 000 piastres de grains. Le 8 mai 1710, ils entrèrent en rade de Saint-Malo. Plus que satisfaits des résultats, les armateurs malouins organisèrent une nouvelle expédition de corsaires au début de l'année suivante.

Page de titre du *Voyage de l'Arabie heureuse* de Jean de La Roque, Amsterdam, 1716.

Histoire pittoresque du café. Lithographie de Develly, seconde moitié du XIXᵉ siècle. Paris, Bibliothèque nationale de France.

▮ Légende

Autrefois, dans les petits cafés* de Damas ou d'Istanbul, les conteurs captivaient l'attention de leur auditoire en narrant la belle histoire de Kaldi, le berger du Yémen. C'était une vieille légende, dont on trouvait déjà l'une des nombreuses versions dans un conte des *Mille et Une Nuits*. Ce berger, qui faisait paître ses chèvres dans les montagnes, se lamentait : ses bêtes gambadaient joyeusement nuit et jour et l'empêchaient de dormir. Il alla décrire cet étrange phénomène à quelques derviches, qui décidèrent de l'observer de plus près. Ils constatèrent que les chèvres semblaient se régaler des petits fruits rouges d'un arbuste qui croissait abondamment dans la région. Ils les goûtèrent, et se sentirent aussitôt emplis d'une telle énergie qu'ils en rapportèrent dans leur communauté : le café allait dorénavant les soutenir dans leurs exercices pieux et leurs prières.

La légende du berger Kaldi est l'une des dizaines contant la naissance du café. Elle contient sa part de vérité : ce sont en effet les soufis du Yémen qui, les premiers, firent du café un usage régulier, lié à leur pratique religieuse, et le répandirent dans tout le Moyen-Orient.

Littérature

« Le grain de café, le parfum d'ambroisie ! » s'exclamait au XVIIᵉ siècle le poète turc Belighi : dès son apparition, le café fut chanté par les écrivains et les poètes. Pour sa délicieuse saveur, mais aussi pour ses propriétés stimulantes, propices à la création, et pour les occasions de rencontres et de débat qu'il offrait dans les établissements où il était servi. En France*, si le souvenir des petits déjeuners embaumés en famille enchantait la Colette de *La Maison de Claudine* (1922), les écrivains évoquèrent plutôt l'atmosphère des cafés*, qu'ils soient coutumiers ou exotiques. Gérard de Nerval (*Le Voyage en Orient*, 1848-1851), Pierre Loti (*Aziyadé*, 1879), Hippolyte Taine (*Voyage en Italie*, 1914), parmi bien d'autres, ont rapporté de leurs voyages de belles descriptions où le café apparaît comme une des plus essentielles institutions de l'art de vivre des pays visités. En sens inverse, des écrivains étrangers, tels Hemingway ou Henry Miller, ont évoqué l'extraordinaire creuset artistique que furent certains cafés dans le Paris de l'entre-deux-guerres. Sur les vertus et plaisirs du breuvage, Balzac fut vraisemblablement le plus prolifique, aussi bien dans son *Traité des excitants modernes* (1839) que dans *Eugénie Grandet* (1833) ou *Ursule Mirouet* (1841). Mais les plus belles pages jamais écrites sur le café appartiennent sans doute à l'écrivain palesti-

Honoré de Balzac, 1842. Daguerréotype de Louis-Auguste Bisson. Paris, Maison de Balzac.

Cafetière commandée par Balzac en 1832. Paris, Maison de Balzac.

nien Mahmoud Darwich qui, au début d'*Une mémoire pour l'oubli* (1994), décrit la préparation amoureuse et tranquille de son café dans Beyrouth bombardé, comme une magnifique parade à la violence et à la mort.

Max Havelaar

Max Havelaar est le titre d'un célèbre roman hollandais écrit en 1860 par un ancien administrateur des colonies sous le pseudonyme de Multatuli, et décrivant le destin cruel de petits paysans en Indonésie. La Fondation Max Havelaar a été créée en Hollande en 1988 pour répondre à l'appel qu'avaient lancé aux pays occidentaux des petits producteurs de café du Mexique afin que leur travail soit plus justement rétribué. Développant le concept de « commerce équitable », la Fondation, qui possède aujourd'hui des antennes dans plusieurs pays européens dont la France, met en relation directe des coopératives de petits caféiculteurs avec des torréfacteurs* européens, en vue d'éviter le coût des intermédiaires. Ainsi, au Mexique, 67 % du prix du café revient au producteur, au lieu des 38 % en moyenne... Les producteurs s'engagent à produire un café de haute qualité, et les torréfacteurs à payer un prix minimum garanti quel que soit le cours du café sur le marché mondial. Trois cents coopératives de dix-huit pays sont aujourd'hui associées à cette action.

> « *Par le thé, l'Orient pénètre les salons bourgeois ; par le café, il pénètre les cerveaux.* »

Paul Morand,
Route des Indes, 1936.

■ MÉLANGES
À la recherche de l'harmonie

La grande majorité des cafés vendus aujourd'hui dans le commerce sont des mélanges de grains de diverses provenances. En mélangeant les cafés, le torréfacteur* poursuit le même objectif qu'un viticulteur qui marie les raisins pour obtenir un vin harmonieux. Son but est d'abord d'obtenir un produit équilibré, proposant la somme harmonieuse du corps (la densité du liquide et sa persistance en bouche), de l'arôme et de la saveur. Si la composition précise des mélanges demeure le secret le mieux gardé du torréfacteur, elle répond néanmoins toujours à quelques principes de base : l'équilibre sera obtenu en combinant des cafés plutôt doux avec des cafés plutôt corsés, des cafés plutôt chocolatés ou fruités avec des cafés plutôt acides, en laissant dominer légèrement l'une des composantes pour donner du caractère à l'ensemble. Ainsi, le plus ancien – et autrefois le plus courant – des mélanges associait la subtile douceur d'un Moka* avec la franchise corsée d'un Java.

La qualité des grains variant à chaque récolte, c'est chaque année que les alliages doivent être repensés. Cette recherche d'une qualité constante des mélanges est l'une des tâches les plus nobles du torréfacteur, qui le rapproche encore une fois beaucoup du viticulteur.

Parmi les mélanges classiques d'arabicas*, outre le Java-Moka, on trouve le Java-Moka-Costa Rica ou le Santos du Brésil-Moka (le préféré de Napoléon). On ne peut plus hélas goûter au mélange favori de Balzac, le Moka-Bourbon-Martinique, ces deux derniers ayant quasiment disparu. Au début du siècle, le grand Ali-Bab proposait dans sa *Gastronomie pratique*, véritable bible des gastronomes, une excellente solution : « À défaut des cafés des îles Bourbon et de la Martinique, devenus très rares, on pourra prendre ceux de Porto Rico et de Saint-Marc (Haïti). »

Dans l'image : *Aus eigener Rösterei*

Aus dem Gebiet Minas-Brasilien ROH-KAFFEE 500 gr. 6.40

Äthiopischer Mocca-Arabica aus Sidamo Hochland -kräftig, säurearm- 500 gr. 15.80

Guatemala

Wacker's Kaffee MINAS -türkischer Mocca- 500 gr. 10.80

Wacker's Kaffee Milde-Sorte - reizarm, veredelt- 500gr.

MOCCA Spezial

Wacker's Kaffee Meister-Mischung kräftiges Aroma 500 gr. 13.80

Wacker's Kaffee Kenia-Arabica -stark, etwas Säure- 500gr. 13.60

◾ Melitta

En 1908, une mère de famille de Dresde, Melitta Bentz, lassée du marc que son filtre en porcelaine laissait passer dans sa tasse, eut une idée fort simple, et qui allait faire son chemin : elle perça de petits trous le fond d'un pot en cuivre, plaça dans le pot une feuille de papier buvard d'écolier empruntée à son fils aîné, et se servit de l'ensemble pour filtrer son café. Le résultat dépassant ses espérances, l'habile Melitta alla enregistrer son invention au Bureau des brevets de Berlin. Quelques mois plus tard, la Compagnie M. Bentz, dotée d'un capital de 73 pfennigs, était née, commercialisant filtres en papier et porte-filtres. Dans les années 20, la société commença à fabriquer elle-même ses produits. Le succès des filtres, qui prirent bientôt le nom de Melitta, fut considérable dès la fin des années 20, encore amplifié avec l'apparition du filtre conique en 1937. Le filtre papier, utilisé avec un simple porte-filtre ou une cafetière* électrique, remplaça peu à peu les cafetières de nos grands-mères.

Aujourd'hui, les filtres Melitta sont présents dans le monde entier et la maison s'est diversifiée, devenant également un torréfacteur*. Elle est aujourd'hui dirigée par les trois petits-enfants de Melitta.

Brûlerie Wacker's à Francfort.

■ MOKA

Situé sur la rive yéménite de la mer Rouge, Moka fut dès l'Antiquité le port* d'où l'encens, la myrrhe et l'albâtre de l'*Arabia Felix* – l'« Arabie heureuse » – étaient embarqués pour l'Égypte et la Méditerranée. Le port attendit néanmoins le XVIᵉ siècle pour connaître un développement notable, intimement lié à celui du commerce entre les différentes régions du Moyen-Orient et de l'Inde. Son âge d'or (1660-1730) advint quand les grandes compagnies* maritimes européennes vinrent y charger le café du Yémen. Lorsque les nouveaux cafés coloniaux d'Asie et des Antilles* commencèrent à concurrencer ce que partout en Occident on nommait alors le « moka », la ville entama son long déclin.

On appelle encore aujourd'hui « Mokas » les merveilleux arabicas* produits au Yémen et surtout en Éthiopie*. Le berceau éthiopien du café offre toujours, entre 1 500 et 1 800 mètres d'altitude, trois Mokas lavés (voir Traitement) extraordinaires. Ils portent les noms des régions ou des localités où ils sont cultivés : le Sidamo, le Yrgacheffe et le Limu. Tous trois sont des cafés exceptionnellement doux et aromatiques, bien équilibrés, dégageant un discret parfum de fleur et une saveur acidulée exquise, avec quelques pointes chocolatées. Ils sont parfaits pour le soir. Dans une catégorie très légèrement inférieure, l'Éthiopie exporte également d'excellents Mokas nature, tels le Harrar, le Djimah et le Lekempti, dont la qualité peut varier sensiblement selon les récoltes et les soins qui leur sont prodigués. Dans le meilleur des cas, ils permettent de préparer

Transport d'une récolte de café dans les montagnes du Yémen.

La Ville de Moka. Gravure du XVIIᵉ siècle.

de très grands cafés : le premier est doux et suave, très parfumé, idéal à toute heure du jour ; les deux autres délivrent dans la tasse un nectar convenant à l'après-déjeuner, corsé, au goût un peu sauvage, abrupt et épicé. C'est le cas aussi d'un Moka du Yémen, le Sanani, aux arômes très riches, à la saveur un peu piquante. (Pour savoir si un « Moka » vendu dans le commerce est par exemple un sublime Sidamo ou seulement un très bon Harrar, ces différentes appellations devraient toujours être mentionnées…)

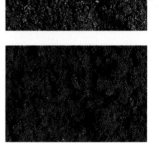

◾ **Mouture**

Toute la saveur des bons cafés, et tout leur arôme suave et chaleureux ne se délivrent dans la tasse qu'à la condition d'être moulus à l'instant même de la préparation. Car une fois torréfié et moulu, le café commence immédiatement à s'oxyder ; il perd rapidement ses qualités, il rancit et devient amer.

Les emballages sophistiqués (à valve) et le froid ralentissent cette dégradation, mais ne l'empêchent pas. Tous ceux qui ont passé la quarantaine se souviennent des moulins à café d'antan, avec leur manivelle, leur corps en bois et leur tiroir... Les modes de vie d'aujourd'hui nous imposent le moulin électrique. Mais pas n'importe lequel. Les moulins à ailettes sont à proscrire. Seuls les moulins à meules, qu'on appelle souvent « broyeurs », peuvent donner une mouture homogène. Leur prix est supérieur, mais ils gaspillent moins de café. Une autre règle d'or veut que chaque type de préparation demande un degré de mouture différent : extrafine (comme de la farine) pour le café turc*, très fine pour les express*, fine pour les cafetières* italiennes à pression* de vapeur, les cafetières électriques et les filtres* papier, moyenne pour les cafetières traditionnelles, les cafetières napolitaines et les cafetières à dépression de type Cona, grosse pour les cafetières à piston. Sans respecter ces principes, il n'est pas de bon café. Encore une fois, seuls les moulins broyeurs, qui sont réglables, sauront donner une mouture idéale. À défaut, il est préférable de s'en remettre à l'artisan torréfacteur*, qui possède en général un moulin permettant une dizaine de degrés de broyage. Car il vaut mieux un café moulu trop tôt mais convenablement qu'un café fraîchement moulu mais mal...

Page précédente :
un mélange
d'arabicas
du Kenya,
d'Amérique
centrale et
d'Éthiopie, en
grains et moulu,
torréfié (de haut
en bas) « ambré »,
« à l'européenne »
et « à l'italienne ».

Syrien préparant
le café, v. 1935.

◼ NOMADES
Une cérémonie codifiée

Le café turc* oriental n'a pas pénétré jusque dans les replis du désert, ni sur les côtes sablonneuses de l'Afrique du Nord et de l'Arabie où, du Maroc jusqu'en Palestine, les Bédouins nomadisent et parfois finissent par s'installer. Ces hommes libres ont une façon unique au monde de préparer le café, véritable cérémonie qu'on célèbre sous la tente. C'est d'abord la torréfaction* du café vert, sur le feu, à l'aide d'un grilloir en forme de poêle, puis le pilage des grains dans un mortier. Prévenus par ce pilage bien sonore qui vaut invitation, amis et voisins affluent. La préparation demande trois cafetières* en cuivre étamé, de forme semblable mais de tailles et de noms différents. Dans la plus grande, qui reste constamment au feu, mijote en permanence le marc des cafés précédents. L'eau brune qu'elle contient est versée dans celle de taille moyenne, en prenant soin de retenir le marc à l'aide d'un petit tampon d'herbes sèches placé dans le bec. Quand l'eau de cette deuxième cafetière bout, on y verse la poudre de café et on la fait bouillir environ dix minutes. On laisse ensuite le marc se déposer, puis on verse le café dans la plus petite cafetière, qui contient un peu de cardamome et une pincée de safran. On porte à ébullition une nouvelle fois, on laisse reposer avant de goûter, puis on sert le café à la ronde.

Certains gestes codifient la cérémonie, aujourd'hui encore : retourner sa tasse vide pour signifier que l'on désire être à nouveau servi ; la secouer pour dire, au contraire, qu'on est rassasié, et la rendre immédiatement, car après avoir été rincée elle servira à d'autres convives. Même si de nos jours on achète plus souvent son café torréfié et moulu, le cérémonial demeure et transforme encore la boisson en instrument d'harmonie sociale et d'hospitalité.

Ci-contre :
Gustave Taubert,
*Une salle de lecture
dans un café*, 1832.
Berlin,
Gemäldegalerie.

Double page
suivante : une
terrasse de café
à Berlin, v. 1930.

■ NORDIQUE
Pour réchauffer l'âme et le corps

Les Allemands sont sans conteste les meilleurs connaisseurs en café au monde, et parmi les plus gros consommateurs. La principale qualité germanique tient à la tradition d'une torréfaction* légère des meilleurs arabicas*. L'autre qualité tient à son mode de distribution : ici, on se rend plus volontiers dans une brûlerie* pour acheter un café fraîchement torréfié. Les Allemands dégustent leur boisson favorite (plus courante que la bière) souvent avec un peu de lait* et parfois avec un peu trop d'eau… ou pas assez de café.

Plus au nord, les Finlandais détiennent avec les Suédois le record mondial de consommation* : plus de cinq tasses par jour. Comme les Allemands, ils apprécient les arabicas de très bonne qualité, à peine torréfiés, et le café très léger, mais brûlant. Il réchauffe l'âme et le corps. C'est le café du froid. La préparation traditionnelle consista assez longtemps en une longue décoction*. Cette méthode n'a pas encore totalement disparu au profit du café-filtre, puisque, en Norvège notamment, près d'un tiers des consommateurs font encore bouillir leur café. Partout on l'aime de préférence avec un peu de crème*, et on n'hésite pas à l'arroser : le *kaffekask* suédois est un mélange de café et d'aquavit, et son équivalent danois s'appelle le *kaffepunch*.

Arrosé* ou non, le café est aussi la boisson favorite des Lapons, qui trouvent dans une grande tasse du nectar né sur les rives torrides de la mer Rouge la chaleur qui manque aux grands espaces polaires. Il n'est pas de meilleure preuve de l'extraordinaire universalité du café.

Origine. Voir Invention

Peinture

Le café a depuis toujours inspiré les peintres. C'est d'abord l'établissement servant du café qui fait l'objet de nombreuses représentations. L'une des premières – et des plus belles – peintures représentant un café est une miniature ottomane du milieu du XVIᵉ siècle, contemporaine de l'ouverture des premières *kahvehâne* à Istanbul. Des peintres vénitiens des XVIIᵉ et XVIIIᵉ siècles (Longhi ou Bertini) aux orientalistes rapportant leur inévitable et charmant « café maure » (Girardet ou Roberts), de Van Gogh et son nocturne *Café à Montmartre* à l'américain Edward Hopper figeant quelques *Oiseaux de nuit* devant des percolateurs* dans un bar (1942), les peintres de toutes époques et de tous lieux ont abondamment puisé dans le pittoresque des cafés*.

Nectars sirotés, tasses et cafetières* apparaissent aussi dans les scènes de genre plus intimistes dès l'apparition du café dans les pays européens. Aux

Edward Hopper, *Oiseaux de nuit*, 1942. Chicago, Art Institute.

XVIIᵉ siècle, la mode des turqueries inspire bon nombre de portraits de femmes vêtues à l'orientale, ou d'hommes costumés en Turcs, avec en main une petite tasse en porcelaine. Mais c'est à partir du XIXᵉ siècle surtout qu'abondent les scènes où le café symbolise l'intimité familiale, le confort bourgeois. Dans des genres tout à fait différents, on peut citer à cet égard *La Jeune Ménagère* de Boilly (vers 1800, ill. p. 51), la *Femme à la cafetière* de Cézanne (1890-1895), *Le Déjeuner dans l'atelier* de Manet (1868) ou *La Liseuse* de Matisse (1895). Enfin, Cézanne, le Douanier Rousseau, Roger de La Fresnaye, Braque, Morandi et bien d'autres ont donné chacun une nature morte avec cafetière…

« On change plus facilement de religion que de café. Le monde d'ailleurs se divise en deux classes : ceux qui vont au café et ceux qui n'y vont pas. De là, deux mentalités parfaitement tranchées et distinctes, dont l'une – celle de ceux qui y vont – semble assez supérieure à l'autre. »

Georges Courteline.

■ Percolateur

Le mot « percolation » venant du latin *percolare* signifiant « filtrer », toute cafetière* ou procédé permettant à l'eau chaude de passer à travers une mouture placée dans un filtre* est un percolateur. Néanmoins, on ne désigne de ce nom que les machines à pression* qui, depuis le début du siècle, distribuent rapidement un petit noir aux clients des cafés*. La première produite industriellement en Italie, conçue par un ingénieur turinois, Angelo Moriondo, parut dans les dernières années du XIXᵉ siècle. En 1901, Luigi Bezzera donnait naissance à une machine qui avait la particularité de préparer et de distribuer le café tasse après tasse. Elle allait être suivie six ans plus tard par la fameuse « Ideale », conçue par un ancien associé de Luigi Bezzera, Desiderio Pavoni : ce merveilleux percolateur de cuivre étincelant installé sur les comptoirs était capable de produire cent cinquante *espressi* à l'heure. Il va de soi que plus l'eau était chauffée dans la machine, plus la pression de la vapeur était forte et plus le débit de l'express était accéléré. Le génie des Italiens* fut de résoudre la contradiction, soulevée par ces percolateurs, entre vitesse et qualité. Depuis un siècle et demi au moins, on savait qu'une chaleur excessive brûlait les principales substances aromatiques du café. Or les nouvelles machines à pression de vapeur ne pouvaient fonctionner qu'à l'eau bouillante.

La maison de café triestine Illy proposa en 1935 l'une des premières solutions au problème : l'« Illetta » était un percolateur dont la forte pression était obtenue non plus par la vapeur mais par de l'air comprimé. La révolution véritable se produisit en 1948, avec l'apparition de la machine à piston d'Achille Gaggia, l'inventeur de l'express* moderne.

Miniature turque, milieu du XVIᵉ siècle. Dublin, Chester Beatty Library.

La *Brasserie de l'Isle Saint-Louis*, à Paris.

Persécutions

Un peu partout, le café suscita à son apparition une hostilité certaine. Dans les pays musulmans, on prit prétexte de propriétés prétendument enivrantes et toxiques, donc prohibées par le Coran, pour tenter d'interdire une boisson qui en réalité ne faisait que favoriser des échanges d'idées réputés suspects. Il fut provisoirement interdit à La Mecque en 1511 et au Caire en 1532. En Italie, vers 1600, quelques fâcheux ecclésiastiques demandèrent en vain au pape Clément VIII qu'il se prononce contre cette boisson diabolique. En Angleterre, le rapide succès des *coffee* houses*, et l'extrême liberté qui y régnait, ne manquèrent pas de susciter quelques jalousies et quelques inquiétudes. Puritains, femmes délaissées mais aussi brasseurs se liguèrent contre le noir breuvage.

En 1674, quelques épouses en colère firent circuler à Londres une *Women's petition against coffee*. En Allemagne, Frédéric II, pourtant grand amateur de café, s'inquiéta de son succès, qui menaçait une part de l'économie prussienne fondée sur la consommation de la bière. Instaurant le monopole de la torréfaction*, qui interdisait aux particuliers de griller le précieux grain chez eux, l'État prussien alla jusqu'à recruter des « renifleurs de café » qui parcouraient les rues des villes et des villages pour détecter l'irrésistible arôme…

En Suède, le café, considéré à la fois comme un luxe superflu et un poison, fut interdit à de nombreuses reprises au cours du XVIIIe siècle. Quelques mois plus tard, ces mesures étaient suivies d'une libéralisation assortie d'une augmentation des taxes. Les Suédois ne purent déguster tranquillement leur nectar favori qu'à partir de 1853…

Plantations

Aux XVIIIe et XIXe siècles, les plantations de café connurent dans la zone tropicale une formidable expansion, rendue possible par l'exploitation forcée d'une main-d'œuvre servile. Jusqu'à l'apparition des premières machines, elle effectuait dans des conditions précaires les travaux les plus pénibles de défrichage, de triage*, de dépulpage… L'essor de la mécanisation, qui suivit de peu l'abolition de l'esclavage* à la fin du XIXe siècle, adoucit quelque peu

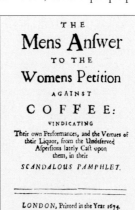

les conditions de travail. Au sommet de la hiérarchie, planteurs créoles des Antilles* françaises et surtout *fazendeiros* du Brésil* menaient grand train. Devenus riches, parfois anoblis par l'empereur, ces *fazendeiros* se faisaient construire leur *casa grande*, luxueuse demeure dont il reste aujourd'hui quelques magnifiques exemples. Bâties souvent en granit, ornées de colonnades et de fers forgés, elles comptaient plusieurs dizaines de pièces entourant un vaste patio et somptueusement garnies de meubles et de parquets en bois précieux. Une très nombreuse domesticité, composée en grande majorité d'esclaves plus ou moins bien traités, s'activait dans la demeure. Les enfants du maître étaient élevés par une *mãe preta*, une « maman noire », puis se voyaient allouer un petit page qui jouait avec eux et les accompagnait à l'école.

Les fortunes bâties au Brésil furent souvent considérables, à l'image de celle de l'ingénieur Henrique Dumont, fils d'un immigré français, qui en 1879 acheta une terre pour y planter cinq millions de caféiers*. À sa mort, celui qu'on appelait « le roi du café » laissa à ses sept enfants de quoi réaliser leurs rêves les plus fous : le benjamin, Alberto Santos-Dumont, s'installa en France et consacra sa fortune à l'épopée naissante de l'aviation...

La Récolte du café au Brésil. Peinture de Candido Portinari, 1935. Rio de Janeiro, Museu de Arte Moderna.

Clippers à quai
au port de Santos,
Brésil, v. 1875.

▮ Ports

En France, le port de Marseille détint le monopole de l'importation du café tant qu'il fut exclusivement acheminé d'Arabie à partir du port de Moka*, c'est-à-dire jusqu'au début du XVIIIᵉ siècle. Marseille servait aussi de plaque tournante pour l'acheminement du café dans d'autres régions d'Europe. C'est ainsi qu'au cours de l'année 1660, 19 000 quintaux de moka d'Égypte y furent débarqués, dont un tiers destiné aux Provençaux, et le reste réexporté vers le nord de l'Italie, la Suisse et l'Europe du Nord. Au XIXᵉ siècle, Bordeaux et Le Havre devinrent les principaux ports d'importation du café en France, recevant les grains d'abord des Antilles*, puis des colonies françaises d'Afrique. En Italie ce fut Venise – premier grand port européen à recevoir du café – et aux Pays-Bas, Amsterdam. Cette ville connut aux XVIIᵉ et XVIIIᵉ siècles une importante activité liée au transport et au commerce du café : on y déchargeait les cargaisons en provenance du Yémen ou des lointaines colonies d'Asie, on y organisait des enchères, on y construisait les grands navires de la puissante Compagnie* hollandaise des Indes orientales. Aujourd'hui, les clippers d'antan ont laissé place aux porte-conteneurs. Au Brésil*, c'est au port de Santos que le café s'embarque, au Kenya* c'est à Mombassa, en Jamaïque à Kingston... Et les grands ports réceptionnaires européens sont Anvers pour les pays du Nord, Hambourg et Brême pour l'Allemagne, Trieste pour l'Italie et Le Havre pour la France.

▇ Pression

La percolation* sous pression est l'un des modes de préparation du café. Qu'elle soit de faible intensité – c'est le cas avec les cafetières* à dépression de type Cona ou la cafetière italienne de type Moka Express – ou forte avec les machines à express*, la pression accélère le passage de l'eau à travers la mouture. Outre un notable gain de temps, cette méthode présente plusieurs avantages : elle évite un long « lavage » du café qui risque d'entraîner dans la tasse des composés indésirables (la caféine*, par exemple) ; dans le cas de l'express, elle émulsifie les substances grasses du café, donnant à la tasse densité et douceur.

Le principe de la cafetière à dépression est le suivant : la flamme d'un brûleur chauffe le verre d'un globe empli d'eau ; celle-ci, par pression de vapeur, s'élève dans un conduit-filtre jusqu'à un deuxième récipient contenant le café moulu ; on

Une invention sans lendemain : l'« Aéropercolateur ».

étouffe alors la mèche du brûleur, l'air dans le globe se contracte en refroidissant, et le café, aspiré par le vide, redescend dans le globe à travers le filtre. Le procédé permet aux meilleurs crus* de développer pleinement leurs arômes et leurs saveurs.

Avec la cafetière à pression de vapeur, dite « cafetière italienne », on emplit d'eau la partie inférieure, et de café moulu le filtre placé entre celle-ci et le compartiment supérieur, puis on place l'ensemble sur le feu. L'eau s'élève par pression de vapeur à travers le filtre vers le compartiment où, devenue café, elle pénètre. Bien utilisées, les cafetières italiennes à pression offrent un café plus dense et aux saveurs plus persistantes que les cafés-filtre, et qui respecte mieux les subtilités gustatives des grands crus que l'express.

Cafetière italienne « la Conica » dessinée par Aldo Rossi pour la maison Alessi, 1982.

Le marché
au café,
São Paulo, Brésil.

Production

Deuxième produit des échanges internationaux après le pétrole, le café est cultivé dans environ soixante-dix pays et exporté par près de soixante pays. On estime que plus de 25 millions de personnes travaillent dans le secteur du café dans les pays producteurs. Annuellement, on récolte environ de quoi remplir 100 millions de sacs de café de 60 kilos (la seule unité de compte admise, à quelques exceptions près, lors des transactions). Cette production annuelle se répartit en 75 % d'arabicas* et 25 % de robustas*.

Avec 20 millions de sacs (essentiellement des arabicas), le Brésil* est de loin le premier producteur mondial et le premier pays exportateur de café. Il est suivi par la Colombie* (13 millions de sacs – de 70 kg – d'arabicas ; 2e pays exportateur).

Viennent ensuite l'Indonésie (7 millions de sacs, essentiellement des robustas ; 3e pays exportateur), le Mexique (4 millions de sacs d'arabicas ; 8e pays exportateur), l'Éthiopie* (4 millions de sacs d'arabicas ; 10e pays exportateur), l'Ouganda (3,5 millions de sacs de robustas ; 4e pays exportateur) ; la Côte-d'Ivoire (3 millions de sacs de robustas ; 6e pays exportateur), l'Inde (3 millions de sacs de robustas et d'arabicas à parts égales ; 5e pays exportateur), le Guatemala (3 millions de sacs d'arabicas ; 9e pays exportateur), le Viêt-nam (3 millions de sacs de robustas ; 7e pays exportateur). Les aléas climatiques peuvent sensiblement modifier ces chiffres. Ainsi, en 1997-1998, la sécheresse et les incendies engendrés par le phénomène El Niño ont fait chuter la production de café en Indonésie.

■ ROBUSTA : LE CAFÉ DES FORÊTS

Robusta en fleur,
à Java.

Le robusta est, avec l'arabica*, l'un des deux grands types de caféiers* cultivés. C'est un vigoureux arbuste qui peut atteindre une dizaine de mètres de hauteur à l'état naturel. Ses fruits donnent un café de qualité médiocre, peu aromatique, très corsé jusqu'à l'amertume et très caféiné, qu'on destine le plus souvent aujourd'hui à la fabrication de produits bas de gamme et aux cafés instantanés* solubles.

Comme son nom l'indique, le robusta est un arbuste qui résiste à tout (sauf au gel, ce qui explique qu'on ne le trouve qu'entre les deux tropiques). Il craint peu les maladies, les insectes, la chaleur. Il aime les touffeurs humides des forêts tropicales, celles d'Afrique de l'Ouest par exemple, où il pousse à l'état sauvage et où il fut cultivé à partir du XVIIIe siècle. Le robusta connaît aujourd'hui trois royaumes forestiers, ses trois premiers producteurs* mondiaux : l'Indonésie, où il fut importé au début du XXe siècle par les Hollandais pour remplacer les plantations d'arabicas entièrement dévastées en 1877 par la rouille ; le Brésil*, où il porte le joli nom de *cornillon*, mais où il n'occupe que 15 % de la production totale brésilienne ; la Côte-d'Ivoire, où il fut introduit par les Français dans les années 1930 et où il pousse dans toute la zone forestière, entre 100 et 400 mètres d'altitude. Viennent ensuite l'Ouganda, le Viêt-nam, le Zaïre, l'Inde, Madagascar, la Thaïlande et une vingtaine d'autres pays en majorité d'Afrique de l'Ouest.

Routes

Il existe une grande diversité de filières commerciales reliant les caféiculteurs aux torréfacteurs*. Du poids de ces deux acteurs dépend souvent le nombre des intermédiaires. Un grand groupe de torréfaction* industrielle achète directement son café dans les pays producteurs*, alors qu'un artisan le fait par l'intermédiaire d'un importateur. Un petit paysan vend sa production à un exportateur par l'intermédiaire d'une coopérative, alors qu'un très gros planteur peut traiter, ensacher et parfois exporter lui-même son café. Dans certains pays, l'exportateur est un organisme d'État, qui assure aussi le traitement* des grains ; dans d'autres n'opèrent que des exportateurs privés, indépendants ou appartenant à de grandes maisons de négoce international (filières publique et privée peuvent aussi coexister). Viennent de plus se greffer d'autres intermédiaires, agents ou courtiers. Au Kenya*, par exemple, les producteurs indépendants et les coopératives expédient leurs cafés à un organisme d'État, le Coffee Board of Kenya, qui les stocke et les vend aux enchères à des courtiers. Ceux-ci vendent à leur tour l'or vert sur le marché international.

C'est en nombre de sacs (de 60 kg) que s'opèrent les transactions, même si les grains sont aujourd'hui de plus en plus souvent expédiés en vrac dans des conteneurs. Quelles que soient les routes empruntées, les grains se voient attribuer des appellations très précises selon leur qualité, ce qui permet le plus souvent aux acheteurs de passer commande sans avoir à les sélectionner* au préalable.

Page de titre du Bon usage du thé, du caffé et du chocolat de Nicolas de Blegny, 1687.

Transport d'une récolte de robusta vers le centre de traitement, Madagascar.

Santé

Entre d'ignominieuses accusations – celle de provoquer l'impuissance, par exemple, que fit circuler une pétition de femmes à Londres en 1674 (voir Persécutions) – et d'excessives louanges – il guérirait le scorbut, la variole, la goutte… –, le café a longtemps suscité des débats quant à ses effets sur la santé. On sait aujourd'hui mieux mesurer les propriétés de son principal constituant, la caféine*. Si ses effets sur le sommeil sont très variables selon les individus, il est acquis que cet alcaloïde stimule le système nerveux, donc aussi bien les fonctions intellectuelles que musculaires.

Agissant aussi sur le système circulatoire, la caféine est utilisée depuis longtemps pour combattre la migraine. Son rôle vasodilatateur la fait également conseiller dans le cas de certaines maladies du cœur. Diurétique et facilitant le transit intestinal, le café est recommandé en cas de troubles des fonctions urinaire ou digestive.

Une consommation excessive de café peut en revanche provoquer des troubles nerveux plus ou moins graves, allant de l'insomnie* à l'arythmie cardiaque, en passant par l'irritabilité et l'anxiété.

Quant à une consommation démentielle, elle peut nuire radicalement : 10 grammes de caféine (soit 100 tasses de café) sont capables d'expédier un buveur forcené au paradis des amateurs de *coffea*.

Courtier vérifiant les grains avant achat et expédition, Sumatra.

■ Sélection

L'imagerie publicitaire montrant un *gringo*, expert dégustateur, sélectionnant les grains de café dans une plantation* du bout du monde n'est qu'une jolie fiction. En réalité, pour sélectionner et acheter les grains verts qu'elles torréfieront, les grandes compagnies de café se fient plus volontiers à leurs courtiers habituels (voir Routes), qui eux-mêmes négocient le prix d'un grain portant, selon sa qualité, une appellation

> « *Deux autres servantes tiennent un plateau en or, sur lequel se trouvent les petites tasses à café en porcelaine fine de Saxe ou de Chine, et les* zarfs *en or ciselé, garnies de pierres précieuses.* »

Leïla Hanoum, *Souvenirs sur le harem impérial,* 1925.

réglementée. Si un courtier de confiance propose au torréfacteur, par téléphone ou télécopie, un lot de Costa Rica SHB (Strictly Hard Bean) de grade AB et de « préparation européenne » – autrement dit un grain ayant poussé en haute altitude, dont la taille correspond au « screen 16 » et qui été trié électroniquement pour éliminer les impuretés et les défauts –, ce dernier sait à quoi s'en tenir. Lorsque cette appellation n'est pas assez précise, lorsqu'il s'agit d'un cru* de qualité irrégulière, ou lorsque le vendeur n'est pas assez connu de l'acheteur, il arrive que la transaction ne se finalise qu'après dégustation* d'un échantillon. Cet échantillon est expédié à l'acheteur, et la dégustation s'effectue dans ses propres laboratoires.

■ SERVICE À CAFÉ
Or ciselé ou porcelaine blanche

C'est à Istanbul que les services à café connurent leurs premiers raffinements. On peut admirer au musée de Topkapi d'extraordinaires cafetières en *tombak* – un bel alliage de cuivre et de zinc – très finement ciselées, accompagnées de leurs petites tasses joliment décorées en faïence d'Iznik ou de Kütahya, voire en porcelaine de Chine ou d'Europe. Sans anse, ressemblant à nos coquetiers, elles étaient placées dans des supports en cuivre, en argent ou en or artistiquement ouvragés. Ces *zarfs* permettaient aux buveurs de porter leur tasse à leurs lèvres sans se brûler les doigts.

En Europe, la plus fine porcelaine et l'argent furent utilisés pour la fabrication des cafetières* et des tasses destinées aux amateurs fortunés. En France, Louis XV, grand amateur de café qui partageait sa passion avec sa maîtresse la du Barry, torréfiait lui-même ses grains dans un brûloir cylindrique en argent massif, et préparait son café dans l'une des trois cafetières en or qu'il avait commandées en 1754 et 1755 au joaillier de la Cour, Lazare Duvaux. La Pompadour, autre favorite, possédait un moulin à café en or décoré d'un caféier gravé.

Mais toutes ces somptuosités ne sont pas indispensables aux collectionneurs : ceux-ci recherchent aujourd'hui davantage les cafetières en fonte émaillée polychrome ou les pots à café en terre vernissée de leurs grands-mères… Quant aux amateurs véritables, ils ne sauraient siroter leur nectar sans une simple mais incontournable tasse de porcelaine blanche, celle des meilleurs bistrots, où température et couleur du breuvage sont bien respectées.

La brûlerie
Kurukhaveci
fondée par
Mehmet Efendi
en 1871,
à Istanbul.

En haut :
grilloir en fer pour
torréfier le grain,
XIXe siècle.

En bas :
torréfaction chez
Piansa, à Florence.

■ Torréfacteurs

Le café est un produit dont la transformation ne s'achève en général qu'à des milliers de kilomètres de son lieu de naissance : sa torréfaction*, en effet, s'effectue traditionnellement dans les pays consommateurs* (deux seuls pays producteurs* sont aussi de notables consommateurs : le Brésil* et l'Éthiopie*). Dans la vieille Europe, puis aux États-Unis, où les premiers adeptes grillaient eux-mêmes leurs grains (pratique qui s'est longtemps prolongée dans les campagnes), les torréfacteurs ont d'abord été de simples artisans : épiciers de quartier ou propriétaires de petites brûleries*. Au cours du XXe siècle, la mondialisation et la constitution de compagnies multinationales de plus en plus puissantes n'ont pas épargné le monde du café. En France, par exemple, la majorité du café consommé est désormais vendu par des sociétés appartenant à deux seules multinationales américaines :

Philipp Morris et Sara Lee. À la première appartient le groupe international Kraft Jacobs Suchard, dont la filiale française produit les cafés Carte Noire (premier café consommé en France), Grand-Mère, Jacques Vabre, Maxwell. À la seconde appartient le groupe néerlandais Douwe Egberts, propriétaire du deuxième torréfacteur français, la Maison du Café et ses nombreuses marques. Le troisième torréfacteur en France est la maison italienne Segafredo Zanetti.

De plus en plus concurrencées dans le segment haut de gamme par ces multinationales, les maisons de taille moyenne (telles Malongo et Suavor en France) doivent, pour survivre, déployer des trésors d'imagination en matière de marketing (publicité, conditionnement) et insister surtout sur la qualité supérieure de leurs produits. Quant aux petites brûleries artisanales, elles sont hélas de moins en moins nombreuses.

◼ Torréfaction

Le grain vert qu'on met en sac à la plantation* n'a ni saveur ni arôme : seule la torréfaction les leur donnera. L'opération, qui consiste à griller les grains, dure de 12 à 20 minutes selon les machines, à une température variant entre 180 et 250 °C. À la fin du processus apparaissent, outre la couleur plus ou moins brune du grain, ses huiles essentielles, porteuses de délicieux parfums.

Dans les brûleries*, l'art de la torréfaction est riche d'infinies nuances. Entre le grain torréfié blond et le presque noir, on trouve, dans la nomenclature officielle française, les torréfactions ambrée, robe de moine (aujourd'hui la torréfaction la plus habituelle en France), à l'européenne (brun soutenu), à la française (un brun très foncé), à l'italienne (presque noir). Plus la torréfaction est claire, plus seront présentes, dans un café doux et léger, la richesse du parfum et la diversité des notes végétales des grands crus*. Plus la torréfaction est soutenue, au contraire, plus le café sera noir, corsé, caramélisé et peut-être amer. Entre le blond et le noir, la différence est pratiquement aussi importante que celle qui existe entre un aliment cru ou cuit, ou celle qui sépare les thés noirs des thés verts. Sachez que rien ne vous empêche de torréfier du café vert dans votre cuisine. Il ne vous faudra qu'une bonne vieille poêle, une spatule en bois pour remuer constamment les grains, un feu banal de cuisinière… et une certaine expérience avant de parvenir à un résultat correct : un grain bien cuit, qui s'effrite en le pressant fortement entre les doigts, mais pas brûlé.

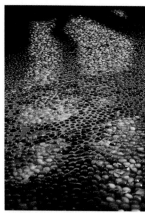

Lavage des « cerises » en Éthiopie (à gauche) et à Java (à droite).

Traitement

Après la récolte, il existe deux méthodes de traitement des drupes ou « cerises » pour récupérer leurs grains : la « voie humide » et la « voie sèche ». La première est utilisée dans les régions bien pourvues en eau. Parce qu'elle ne peut traiter que des cerises mûres et qu'elle exige de nombreux triages, contrôles et lavages, elle produit des grains très homogènes, de qualité supérieure, qu'on appelle « cafés lavés », ou *milds*. Après avoir été triées et lavées, les cerises sont dirigées par des canaux vers des machines séparant la pulpe et les deux grains du fruit. Récupérés, les grains sont placés dans des bacs où ils subissent durant plusieurs jours une fermentation qui dissout tout ce qui restait encore de pulpe. Ils sont à nouveau vigoureusement lavés. Les grains, qui se présentent alors seulement recouverts d'une épaisse pellicule cellulosique, la « parche », sont mis à sécher durant une à trois semaines. La parche est ensuite ôtée mécaniquement.

La seconde méthode de traitement, la « voie sèche », est nettement plus simple et plus économique. Les cafés issus de cette méthode, de qualité moins régulière que les précédents, sont dits « cafés nature ». Rien de plus « nature », en effet, que de récolter toutes les cerises dès qu'un bon nombre d'entre elles sont mûres, de les laver rapidement à l'eau, puis de les faire sécher au soleil durant deux à trois semaines jusqu'à ce qu'elles soient réduites à l'état de fruit sec et ratatiné. On les appelle alors « café en coque ». Les fruits sont ensuite décortiqués à l'aide de machines, en général dans des coopératives, pour faire apparaître les grains. Ceux-ci subiront ensuite un triage*.

Traités

En Europe, il fallut les récits de voyage de deux botanistes, celui de l'Allemand Leonhart Rauwolf en 1582 et celui de l'Italien Prospero Alpini dix ans plus tard, pour que des lecteurs assouvissent leur curiosité à propos du café. Et il semble que le tout premier ouvrage au monde entièrement consacré au café, œuvre de Fausto Nairone, un moine maronite d'origine syrienne, ne parut en latin à Rome qu'en 1671. Il rappor-

Illustration extraite du *Traitez nombreux et curieux du café, du thé et du chocolat* de Philippe Sylvestre Dufour, 1671.

Ibriq ou Pot Pour Faire Cuire le Café

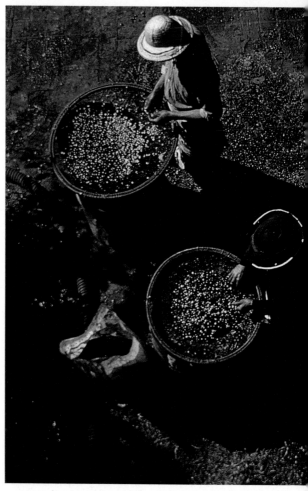

Triage des grains au Brésil.

tait, en les christianisant, la légende* du berger Kaldi et l'histoire du « saint de Moka » (voir Éthiopien). La même année paraissaient à Paris les *Traitez nouveaux et curieux du Café, du Thé et du Chocolate* de Philippe Sylvestre Dufour, abondamment illustrés, qui connurent de nombreuses réimpressions et furent traduits en plusieurs langues.

Mais les premiers succès du café en Europe, qui contrecarraient certains intérêts (voir Persécutions), suscitèrent bon nombre de traités ou de pamphlets hostiles. Ainsi, largement répandue, la thèse d'agrégation que soutint en 1679 un médecin de Marseille, le docteur Colomb, et qui clamait que le café attaquait le cerveau, provoquait paralysie, impuissance et « horrible maigreur ». Le plus célèbre texte sur le café demeure le chapitre que Balzac lui consacra dans le *Traité des excitants modernes* (1839), où il expose les meilleures manières d'obtenir grâce à lui, malgré l'accoutumance, une stimulation constante...

■ Triage

Après la récolte et le traitement* de la « cerise » apparaît le grain nu, en général d'un vert pâle qui lui vaut d'être appelé « grain vert ». Mais les nuances sont

infinies entre le vert magnifiquement pur et lustré d'un grain d'Hawaï*, celui bleuté d'un Blue* Mountain de Jamaïque, celui bleu-gris d'un Porto Rico, tous les verts céladon plus ou moins pâles, et tous ceux tirant vers le jaune ou le brun des nombreux autres cafés du monde.

Tous ces grains se présentent encore, à la sortie des machines, dans la plus grande confusion. Commence alors un intense travail de tri. Les grains passeront dans des courants d'air pulsé éliminant les débris d'enveloppes et séparant les pleins, qui sont sains, des vides, qui sont défectueux ; dans certaines usines, ils défileront ensuite sur un plan incliné vibrant qui sépare les rares caracolis*. Puis ils seront criblés pour être classés par taille, les plus gros donnant toujours le meilleur café. Enfin, partout, on éliminera, par différents procédés allant du triage manuel au triage électronique, les grains présentant une couleur anormale. Les fèves pourries, dites « puantes », sont particulièrement traquées, car une seule d'entre elles pourrait par la suite contaminer tout un sac de 60 kilos de bon café. Ce dernier triage, lorsqu'il est manuel, est le plus souvent confié aux femmes.

Page suivante :
Rosalba Carriera
(1675-1757),
Un Turc. Pastel.

◼ TURC : LE CAFÉ DE LA SÉRÉNITÉ

Alep, Damas, Bagdad et bien sûr Istanbul, puissante capitale autrefois du vaste Empire ottoman, furent conquises chacune leur tour par le café, au cours de la première moitié du XVIᵉ siècle. Presque partout, on préparait de la même manière ce qu'on appellerait bientôt le « café turc » (et en Grèce le « café grec »). Les Ottomans le portèrent jusqu'en Algérie et aux Balkans où on le boit encore. Il n'a pas changé depuis et est toujours une décoction* préparée dans un *cezve*, long récipient de métal à long manche. Autrefois, dans certains cas, on transvasait le café sans le marc dans une verseuse en métal ou en faïence – *ibrik* – avant de le servir.

Aujourd'hui, si les conteurs appréciés jadis par Nerval ont déserté les cafés d'Istanbul, la ville conserve encore quelques beaux établissements anciens, au Grand Bazar, dans le quartier de Beyazit ou à Salacak sur la rive orientale. Mais dans les villes et les villages, les cafés populaires sont partout, et les vendeurs de ce breuvage se faufilent entre les passants et les voitures, portant des plateaux de cuivre suspendus à une poignée, spécialement conçus pour que les tasses et le liquide ne puissent jamais se renverser quelle que soit l'inclinaison. On goûte au café les plaisirs de la conversation, des jeux, des narguilés et, par-dessus tout, on savoure le temps qui passe – art tout oriental appelé *keyif*. Le café turc, en effet, qu'il soit dégusté *sade* (sans sucre), *orta* (très peu sucré), *az sekerli* (peu sucré) ou *çok sekerli* (très sucré), n'empêche pas la rêverie : à peine torréfié et moulu aussi finement que de la farine, le grain donne une boisson très douce, propice à la sérénité. On la déguste après avoir bu un verre d'eau.

XIIe siècle La culture du caféier (jusqu'alors ne poussant qu'à l'état sauvage en Éthiopie) semble attestée à cette date au Yémen.

XIVe siècle Premières traces historiques de l'usage du café (baptisé *qahwa* par les soufis) au Yémen.

XVe siècle L'usage du café apparaît à La Mecque, d'où il se répandra bientôt dans tout l'Islam.

1511 Première interdiction du café à La Mecque.

1554 Les deux premières *kahvehâne* (« maisons de café ») ouvrent à Istanbul.

1609 Premier contact d'une compagnie commerciale européenne – en l'occurrence l'East India Company – avec les autorités de Moka, port yéménite.

1616 Le marchand hollandais Pieter Van der Broecke parvient à subtiliser quelques plants de café à Moka. Rapportés à Amsterdam, où ils sont plantés avec succès au Jardin botanique, ils donneront plus tard naissance aux plantations hollandaises en Asie, et françaises aux Antilles.

1650 Le premier café anglais est créé à Oxford par un Juif libanais nommé Jacob.

1658 Les Hollandais mettent le café en culture à Ceylan.

1660 19 000 quintaux de « moka » en provenance d'Égypte sont débarqués au port de Marseille.

1665 Kara Mehmet, envoyé en ambassade à Vienne par le sultan ottoman Mehmet IV, y lance la mode du café.

1669 Soliman Aga, autre ambassadeur du même sultan, arrive à Paris et y lance la mode du café.

1670 Ouverture à Amsterdam du *Hoppe*, qui existe toujours et est le plus ancien café d'Europe.

1672 Un Arménien connu sous le nom de Pascal ouvre le premier débit de café parisien, dans l'une des cent quarante échoppes de la foire Saint-Germain.

1673 Le premier débit de café allemand est créé à Brême par un Hollandais, Jan Dantz.

1683 Le premier café italien est inauguré à Venise, place Saint-Marc, sous les arcades des Procuraties.

1685 Le premier café de Vienne est ouvert par un Arménien, Johannes Diodato. Création à Londres de la Lloyd's Coffee House, qui deviendra plus tard la plus prestigieuse compagnie d'assurances au monde.

1686 Ouverture du café *Procope* à Paris.

1689 Le premier café « américain », la London Coffee House, ouvre ses portes à Boston.

1696 Les Hollandais mettent le café en culture à Java.

1710 Invention en France de la « chaussette » et de l'infusion de café.

1715 Les Français mettent le café en culture dans l'île Bourbon (la Réunion).

1716 Parution du *Voyage de l'Arabie heureuse*, de Jean de La Roque.

1719 Des plants volés au Surinam hollandais sont mis en culture en Guyane française.

1720 Ouverture du café *Florian* à Venise. Le Français Gabriel de Clieu met en culture le café à la Martinique.

1726 Le café de l'île Bourbon commence à être exporté en France.

1727 Des plants volés en Guyane française sont mis en culture au Brésil portugais.

1734 Création par Jean-Sébastien Bach de la *Cantate du café*.

1736 Apparition en France d'un nouveau café en provenance des Antilles.

L O G I E

1780 Grâce à ses plantations antillaises – essentiellement Saint-Domingue –, la France est le premier producteur mondial de café.

1791 Révolte des esclaves de Saint-Domingue, menée par Toussaint-Louverture.

1800 Invention en France, avec la cafetière « Du Belloy », du café-filtre (et donc de la percolation de café).

1825 Invention en Allemagne de la cafetière à dépression (popularisée plus tard sous le nom de la marque anglaise Cona).

1839 Parution du *Traité des excitants modernes*, d'Honoré de Balzac.

1848 Abolition de l'esclavage en France.

1888 Abolition de l'esclavage au Brésil.

1895 Invention par l'ingénieur turinois Angelo Moriondo de la première cafetière à pression de vapeur.

1900 Le Brésil produit 90 % du café mondial.

1901 Invention du café instantané soluble aux États-Unis, par l'ingénieur japonais Sartori Kato.

1908 Invention du filtre en papier par Melitta Bentz.

1948 Invention de la première véritable machine à express par le barman milanais Achille Gaggia.

1962 Accord à Londres, entre pays producteurs et consommateurs réunis au sein de l'Organisation internationale du café, pour modérer les fluctuations des cours du café par un système de contingentements et de quotas.

1965 Invention du café soluble lyophilisé. Le torréfacteur parisien Perre Verlet commence à proposer des crus d'« origine pure » aux restaurateurs.

1970 Naissance de l'engouement des Japonais pour le café.

1971 Trois étudiants fondent à Seattle la maison Starbucks, pionnière et toujours reine des *espresso bars* américains.

1989 L'accord de Londres (OIC) n'est pas reconduit.

1995 En France, la maison Jacques Vabre lance dans la grande distribution quatre crus d'« origine pure ».

1997 Un grain de café torréfié datant du XIIe siècle, et provenant sans doute d'une plantation yéménite, est découvert lors de fouilles archéologiques près de Dubaï (Émirats arabes unis).

BIBLIOGRAPHIE SÉLECTIVE

H. E. Jacob, *L'Épopée du café*, Seuil, 1953.

Felipe Ferré, *L'Aventure du café*, Denoël, 1988.

Ulla Heise, *Histoire du café et des cafés les plus célèbres*, Belfond, 1988.

Philipe Jobin et Bernard van Leckwyck, *Le Café*, Nathan, 1988.

A. Mignon, L. Quentin et S. Hochain, *Le Livre du café*, Gallimard, « Découverte Cadet », 1988.

Hélène Desmet-Grégoire, *Les Objets du café*, Presses du CNRS, 1989.

Gérard-Georges Lemaire, *Les Cafés littéraires*, Maeght, 1990.

Edward Bramah, *Cafetières et machines à café*, PML, 1991.

Francesco et Riccardo Illy, *Du café à l'express*, Abbeville, 1992.

Jean-Claude Bologne, *Histoire des cafés et des cafetiers*, Larousse, 1993.

Alain Stella, *Le Livre du café*, Flammarion, 1996.

Australie Skybury (Queensland) : un café lavé d'exception, très aromatique et légèrement chocolaté, recommandé pour le soir.

Blue Mountain : le grand cru par excellence, récolté à la Jamaïque, très doux et aromatique, agréablement acidulé et chocolaté ; un café rare et très cher, à déguster de préférence après un bon repas, à midi ou le soir.

Brésil : qu'ils portent les appellations de Bahia, Santos ou Sul de Minas, les meilleurs arabicas du Brésil sont des cafés doux et bien équilibrés, parfaits pour le matin.

Costa Rica : les Tarrazu, Tournon, Tres Rios sont de très grands crus, complets, alliant corps et arôme, légèrement acidulés et plutôt corsés. À boire durant la journée.

Djimah : l'un des trois Mokas nature d'Éthiopie, bien corsé. Pour avoir une idée du café des origines. Recommandé durant la journée.

Excelso : café de base de Colombie, très doux et léger, parfait au petit déjeuner.

Guatemala : Antigua, Coban ou Huehuetenango, magnifiques crus très complets, parfois épicés ou cacaotés, acidulés et souvent corsés, et donc pour la journée.

Harrar : ce Moka nature d'Éthiopie, doux et suave, au parfum fleuri, est le café idéal du matin.

Hawaï Kona : l'un des rares, des plus chers et des meilleurs grands crus cultivés à Hawaï, très doux et aromatique, légèrement acidulé et poivré. Parfait pour le soir.

Java : Arabica d'Indonésie de plus en plus rare, aux franches saveurs végétales, épicées, bien corsé pour la journée.

Kalossi : le grand cru des Célèbes (Sulawesi), à la fois corsé et fruité, très riche en arômes. À boire de préférence durant la journée.

Kenya AA : le cru le plus fruité et délicatement acidulé qui soit. À déguster pur, surtout le soir, pour avoir une autre idée du café.

Lekempti : l'un des Mokas nature corsés d'Éthiopie, légèrement épicé, au goût sauvage, qui convient bien à l'après-déjeuner.

Limu : l'un des trois extraordinaires Mokas lavés d'Éthiopie, qui sont les cafés les moins caféinés du monde. À la fois doux et riche en arômes. Un Moka du soir.

Malabar : un grand cru indien d'Arabica nature, mais « moussonné », c'est-à-dire exposé quelques semaines aux vents de la mousson. Il acquiert une couleur jaune et de riches saveurs qui vont du goût de l'herbe sauvage au goût épicé. Un café corsé pour la journée.

Maragogype : cultivé au Nicaragua ou au Mexique sous l'appellation Liquidambar, le Maragogype est une variété géante d'arabica, donnant une tasse onctueuse et parfumée, idéale pour le matin.

Mysore : un arabica d'Inde, léger et peu caféiné, pour l'après-midi ou le soir.

Pacamara du Salvador : délicate variété hybride d'arabica, le Pacamara est cultivé au Salvador. Il donne un café très subtil et léger, qui convient au petit déjeuner ou le soir.

Sanani : l'un des Mokas nature, provenant du Yémen, qui peut offrir des sensations fortes avec son côté sauvage et corsé. De qualité irrégulière.

Sidamo : un merveilleux Moka lavé d'Éthiopie aux tout petits grains, doux, suave, aux arômes fleuris, légèrement acidulé. Très peu caféiné et parfait pour le soir. Son caracoli est réputé.

Sigri Nouvelle-Guinée : l'un des meilleurs crus de la planète, issu de plants de Blue Mountain, donnant une tasse très complète, riche en corps et en arômes, douce et chocolatée. Un café du soir.

Sumatra : magnifiques arabicas d'Indonésie, très corsés, qu'on fait vieillir parfois plusieurs années pour les adoucir et les enrichir de saveurs plus subtiles. À boire durant la journée.

Supremo : la meilleure appellation des cafés de Colombie, offrant un café suave, doux et parfumé, parfait toute la journée.

TANZANIE : un café fruité et acidulé comme tous ceux d'Afrique de l'Est, mais souvent légèrement plus doux. Très bon le matin comme le soir.

YAUCO SELECTO : l'un des cafés les plus corsés… mais aussi les plus rares et chers, provenant de Porto Rico. Un grand cru généreux et puissant, très aromatique, à déguster durant la journée.

YRGACHEFFE : un sublime Moka lavé d'Éthiopie, hélas assez rare, très peu caféiné et suavissime, offrant des notes acidulées et chocolatées, ainsi qu'un parfum de fleur : le chef-d'œuvre du soir.

ZIMBABWE : un délicieux cru bien acidulé et légèrement épicé, à déguster de préférence le soir.

I N   D   E   X

Crédits photographiques : ATLANTA, J. Martinez & Compagny 34-35 ; BERLIN, Gemäldegalerie 91 ; CHICAGO, Art Institute 94-95 ; DUBLIN, Chester Beatty Library 96 ; LE HAVRE, Maison P. Jobin & Cⁱᵉ/Philippe Jobin 70 ; musée de l'Ancien Havre/J.-L. Coquerel 56h ; LONDRES, Bettmann Archives 64-65h, 92-93 ; British Museum 47, 98b ; ICO 13, 16, 29, 33hd, 48-49h, 106, 111, 112-113 ; MILAN, Luisa Riccarini 37, 77 ; CERA 65b ; PARIS, archives Flammarion 44b, 50h, 81b, 82, 101, 105, 114 /F. Morellec 89 ; Archives Photo 27 ; Bibliothèque nationale de France 87b ; Bios/Alain Compost 103 /Dominique Halleux 104 ; Dagli Orti 21, 44h, 62, 99 ; Jérôme Darblay 31b, 60b ; Giraudon 26, 67 ; Hoa-Qui /E. Valentin 45h /C. Pavard 78-79 ; J. Laiter 46b ; Magnum /René Burri 15, 52-53, 60h, 71, 102h /Gilles Peress 24 /Richard Kalvar 30-31h /Henri Cartier-Bresson 68 /Bruno Barbey 97 ; Pascal et Maria Maréchaux 10, 58, 63, 75, 86-87h ; Patrice Pascal 19, 42-43, 88, 107b, 115h ; Photothèque des musées de la Ville de Paris 83 ; Rapho/R. Michaux 110h ; Réunion des musées nationaux 6, 12, 14, 72h ; Roger-Viollet 20, 25, 39, 61, 66, 69b, 90 ; Christian Sarramon 38, 40, 81h, 108 ; Top 109h /Christine Fleurent 4-5 /Daniel Czap 76h ; VANVES, Explorer/J. Moss-P. Resear 36 /J.-P. Saint-Marc 54-55h ; Visa/C. Valentin 74b ; VENASQUE, Terres du Sud/Ph. Giraud 49b ; ZURICH, Johann Jacobs Museum 51.

Série Art de vivre : Stéphane MELCHIOR-DURAND
Coordination éditoriale : Béatrice PETIT
Lecture-corrections : Christine EHM
Direction artistique : Frédéric CÉLESTIN
Cartographie : Thierry RENARD
Photogravure, Flashage : Pollina s.a., Luçon
Papier : Technogloss 135 g distribué par Fargeas, Paris
Papier de couverture : Carte Gemini 250 g distribuée par Axe Papier, Champigny-sur-Marne
Couverture imprimée par Pollina s.a., Luçon
Achevé d'imprimer et broché en septembre 1998 par Pollina s.a., Luçon

© 1998 Flammarion, Paris
ISBN : 2-08-012593-1
ISSN : 1275-2789
N° d'édition : FA 259301
N° d'impression : 75694
Dépôt légal : novembre 1998

Imprimé en France

Page 6 : Eugène Girardet (1853-1907), *Café arabe* (détail). H/t 32,5 × 22. Paris, musée d'Orsay.